Paraguay – ein

Ruben Stein

Paraguay – ein Paradies für Auswanderer

– Einschließlich der neuen Prophezeiungen der Maria S. –

Bibliografische Information der Deutschen Nationalbibliothek
Die Deutsche Nationalbibliothek verzeichnet diese Publikation
in der Deutschen Nationalbibliografie; detaillierte bibliografische
Daten sind im Internet über http://dnb.d-nb.de abrufbar.

Umschlagdesign, Satz, Herstellung und Verlag:
BoD – Books on Demand
ISBN 978-3-7431-1026-7

Inhalt

Vorwort

Das vorliegende Buch ist eine Mischung aus Paraguay-Reisebericht, Auswanderungsratgeber und Prophezeiungsliteratur. Es enthält die Erlebnisse einer Reise, die Maria und ich im November 2016 nach Paraguay unternommen haben.

Des Weiteren beschreibt es ausführlich die einzelnen Schritte, die für eine erfolgreiche Auswanderung nach Paraguay erforderlich sind. Insofern ist es hoffentlich eine große Hilfe für diejenigen, die sich noch im Laufe des Jahres 2017 ebenfalls entschließen, nach Paraguay auszuwandern (Die Schritte basieren auf den im Jahre 2016 geltenden Anforderungen des paraguayischen Migrationsgesetzes Nr. 978/96. Diese Anforderungen können sich natürlich jederzeit ändern.)

Und drittens enthält dieses Buch Marias Prophezeiungen für das Jahr 2017. Es erweitert die vierbändige Ruben-Stein-Reihe also um einen fünften Band. Es waren in erster Linie Marias Schauungen über Deutschlands Schicksal im Jahre 2017, die uns schon vor zwei Jahren entscheiden ließen, unserem Vaterland rechtzeitig den Rücken zu kehren. Die endgültige Entscheidung, nach Paraguay auszuwandern, fiel aber erst am 2. August 2016.

Wir wissen, dass es uns im laufenden Jahr noch viele Leser gleichtun wollen und dass sie ebenfalls alle notwendigen Schritte für die erfolgreiche Auswanderung nach Paraguay unternehmen werden. Für sie haben wir dieses Buch geschrieben. Aber auch jene Menschen, die in Deutschland bleiben wollen, oder jene, für die – aus welchen Gründen auch immer – Paraguay niemals infrage käme oder die sich bereits für ein anderes Land entschieden haben, werden von diesem Buch profitieren.

Bloß raus aus Deutschland!

Wir hatten schon lange keinen Bock mehr auf das von Tag zu Tag schneller zerfallende Deutschland. Wir mussten hier unbedingt weg. Als ich Maria den Vorschlag machte, Deutschland zum 30. Juni 2017 zu verlassen, sagte sie mir, dass das zu spät sei: »Nein, wir werden Deutschland noch im 1. Quartal verlassen.« Maria hatte mir auch eine Reihe von Ländern genannt, die es kaum oder gar nicht treffen würde, aber entweder war es uns da zu ungastlich oder für unsere finanziellen Verhältnisse schlichtweg zu teuer. Die Entscheidung für Paraguay fiel erst am 2. August 2016.

Das südamerikanische Land erfüllte praktisch alle Anforderungen, die wir an unsere neue Heimat stellten: Absolute unternehmerische Freiheit, keinerlei Gängelung durch die Bürokratie, harmlose Gewerkschaften, harmlose Betriebsräte und im Vergleich zu Deutschland geradezu lächerlich niedrige Steuersätze. Praktisch keine Kriminalität, also ein Höchstmaß an Sicherheit. Ein fantastisches Klima und praktisch nur friedliche, kontaktfreudige und freundliche Menschen. Miesepetrige Gesichter wie in Deutschland muss man hier mit der Lupe suchen. Kein Wunder also, dass in Paraguay laut Gallup-Studie die glücklichsten Menschen der Welt leben. Die Lebenshaltungskosten sind niedrig, und die Banken bieten für Festgeld auf drei Jahre traumhafte Zinsen. 93 Prozent der Bevölkerung sind römisch-katholisch – aber nicht so, wie Sie es vielleicht vom Gros der deutschen Katholiken her kennen, sondern *richtig* katholisch.

Um unsere Ziele zu erreichen, benötigten wir zwei Dinge:

- Die Daueraufenthaltsgenehmigung
- Die *cédula* (paraguayischer Personalausweis). Mit der *cédula* hat man viel mehr Möglichkeiten im Lande, und man kann

dann auch – was uns ganz wichtig war – ein Bankkonto in Paraguay eröffnen.

Wir wollten nach Möglichkeit beides – Daueraufenthaltsgenehmigung *und* cédula – in einem Aufwasch erledigen.

Der erste Schritt in die neue Freiheit – noch im September 2016 – war mein Anruf beim **paraguayischen Konsulat in Berlin**. Der Konsularbeamte teilte mir höflich mit, dass er mir umgehend ein mehrseitiges Informationsblatt mit allen Anforderungen zusenden werde, wenn ich ihm meine E-Mail-Adresse gäbe.

Gesagt, getan. Zehn Minuten später hatte ich das Blatt mit allen Anforderungen, die für eine Daueraufenthaltserlaubnis in Paraguay nötig sind, vorliegen.

Die Vorgehensweise war wie folgt:

- **Internationale Geburtsurkunde** vom zuständigen Standesamt ausstellen lassen und danach vom zuständigen Regierungspräsidium **überbeglaubigen** lassen (Im Regierungspräsidium fragte mich der Beamte, für welches Land ich die Überbeglaubigung bräuchte. »Für Paraguay«, sagte ich. Nachdem alles erledigt und bezahlt war und ich bereits in der Tür stand, sagte der Beamte: »Was ist eigentlich los? Die Anträge auf Auswanderung explodieren ja gerade.« »Wundert Sie das wirklich?« fragte ich zurück. Der gute Mann bekam einen etwas gepressten Gesichtsausdruck: »Nein, nicht wirklich.«)
- **Polizeiliches Führungszeugnis** beim zuständigen Bürgeramt beantragen und dort dann auch gleich sagen, dass das Führungszeugnis vom Bundesamt für Justiz **überbeglaubigt** werden muss. Das Bürgeramt leitet Ihr Anliegen an das Bundesamt für Justiz weiter und kassiert dafür erst mal eine Bearbeitungsgebühr. Nach einigen Tagen schickt Ihnen das Bundesamt für Justiz eine Rechnung. Sobald Sie die bezahlt haben, erhalten Sie die Überbeglaubigung.

- Bei Verheirateten: **Heiratsurkunde** vom zuständigen Standesamt ausstellen lassen (das Ausstellungsdatum darf nicht älter als 2010 sein) und anschließend ebenfalls vom Regierungspräsidium **überbeglaubigen** lassen.
- Bei Geschiedenen: **Scheidungsurteil** im Original mit aktualisierter Unterschrift des Amtsgerichts und Beglaubigung durch das Landgericht.

Sobald Sie alle Dokumente zusammen haben, müssen diese nur noch vom paraguayischen Konsulat in Berlin **legalisiert** werden. Zu diesem Zweck machen Sie erst mal von jeder Seite Ihrer überbeglaubigten Dokumente eine Fotokopie. Dann stecken Sie die überbeglaubigten **Original-Dokumente** sowie die jeweiligen **Fotokopien** in einen DIN-A4 Umschlag, fügen ein **Anschreiben** hinzu, in dem Sie um die Legalisierung bitten und nennen in diesem Anschreiben auch Ihre **E-Mail-Adresse**. Abschließend fügen Sie dem Umschlag einen **ausreichend frankierten DIN-A4-Rückumschlag mit Ihrer Anschrift** bei. Sie bringen den Umschlag zur Post und warten einfach mal ab, was passiert. Wenn Sie alles richtiggemacht haben, schickt Ihnen das Konsulat relativ zeitnah via E-Mail eine **Rechnung** und eine **Referenznummer**. Wenn Sie die Rechnung unter Angabe der Referenznummer – ebenfalls zeitnah – begleichen, sind Sie zwei Wochen später im Besitz Ihrer legalisierten Original-Dokumente. Die Fotokopien verbleiben beim paraguayischen Konsulat in Berlin.

Beachten Sie aber: Das paraguayische Konsulat in Berlin legalisiert **nur deutsche Dokumente**! Heißt: Wenn Sie zum Beispiel in Dänemark geheiratet haben, muss Ihre internationale Heiratsurkunde zusätzlich die Apostille des dänischen Außenministeriums haben, um später in Paraguay anerkannt zu werden.

Und noch etwas: Ihr **polizeiliches Führungszeugnis** darf bei der Vorlage in Paraguay **nicht älter als drei Monate sein**! Maria und ich hatten unsere polizeilichen Führungszeugnisse Ende September 2016 vorliegen und sind deshalb auch schon relativ zeitnah, nämlich schon im November 2016, mit allen legalisierten Dokumenten nach Paraguay geflogen.

Es wird Sie natürlich brennend interessieren, was Maria und mich hauptsächlich aus Deutschland vertrieben hat. Nun, die Gründe könnten wir Ihnen hier ausführlich auflisten, aber bei zuviel Klartext hätte dieses Buch nicht die geringste Chance auf Veröffentlichung. Die zahllosen Missstände und phänomenalen gesellschaftlichen und politischen Fehlentwicklungen in Deutschland konkret beim Namen zu nennen, geht wegen der immer noch geltenden Political Correctness nicht. Und um den heißen Brei herumreden möchten wir auch nicht. Aber ich denke, ein dezidiertes Aufzählen von Fakten ist auch nicht nötig. Wenn Sie sich für eine Auswanderung nach Paraguay interessieren, wissen Sie ohnehin bereits, was in Deutschland los ist – oder erahnen es zumindest. Und das, was aktuell los ist, ist nichts im Vergleich mit dem, was noch kommt.

Da ich die Gebühr für uns drei (Maria und ich haben eine gemeinsame Tochter) umgehend bezahlt hatte, war auch das paraguayische Konsulat in Berlin relativ fix in der Bearbeitung. Bereits im Oktober hatte ich alle unsere Original-Dokumente legalisiert zurückerhalten. Da ein polizeiliches Führungszeugnis bei der Vorlage in Paraguay nicht älter als drei Monate sein darf, mussten wir uns jetzt also schleunigst um die **Bestätigung** unserer legalisierten Dokumente bei der Migrationsbehörde in Asunción kümmern. Unsere Führungszeugnisse waren von Ende September 2016, folglich mussten wir bis spätestens Ende Dezember 2016 alles unter Dach und Fach haben.

Also buchten wir bereits für den November unsere Flüge. Da unsere Tochter schon über zwei Jahre alt war, benötigte sie einen eigenen Sitzplatz und zahlte nahezu den vollen Flugpreis eines Erwachsenen.

Zwei herrliche Wochen in Paraguay

Unser Flug ab Frankfurt sollte um 21.55 Uhr losgehen. Zwei Stunden vorher standen wir am Lufthansa Check-in, und da gab es den ersten Schock. Nachdem der Schaltermitarbeiter bereits unsere beiden Koffer und den Kinderwagen aufs Laufband gestellt hatte, sagte er völlig emotionslos: »Sie können leider nicht mit. Die Maschine ist überbucht.« Wie bitte? »Ja, wir buchen grundsätzlich zehn Prozent Überhang. Sie können sich aber hier ein Hotel nehmen. Die Kosten übernehmen wir selbstverständlich. Aber wenn Sie frühzeitig beim Boarden sind, haben Sie vielleicht Glück. Vielleicht springt ja jemand ab.«

Maria sagte mir: »Du musst jetzt sofort einen Rosenkranz für uns beten. Ich wickele währenddessen das Kind.«

Ich ging also nach draußen, steckte mir eine an, holte den Rosenkranz aus der Hosentasche und begann mit dem Gebet. Man darf zwar beim Beten nicht rauchen, aber beim Rauchen ist Beten generell erlaubt.

Die Wirkung zeigte sich umgehend. Wir erhielten drei nebeneinanderliegende Sitze und konnten problemlos boarden.

Nicht dass man mich jetzt falsch versteht und der Eindruck entsteht, man müsste einfach nur den Rosenkranz beten, um dann uferlos beim Herrgott herumschnorren zu können. Nein, so funktioniert das nicht. Viel wichtiger ist, dass man jeden Tag Gutes tut. Gelegenheiten, Gutes zu tun, bieten sich einem reichlich. Und wenn man Gutes tut, räumt einem der Herrgott praktisch unablässig den Weg frei. So funktioniert das. Nicht nur bei uns, sondern auch bei Ihnen. Und nicht anders.

Nach 9.830 Kilometern landeten wir am nächsten Tag um sieben Uhr Ortszeit in Sao Paulo, Brasilien. Dort hatten wir rund viereinhalb Stunden Aufenthalt. Um 11.40 Uhr ging's dann um weitere 1.130 Kilometer und zwei Stunden Flugzeit nach Asunción, der Hauptstadt Paraguays.

Ein Taxi brachte uns zum *Hotel Guaraní Asunción*. Wir hatten dort eine kleine Suite mit Balkon gebucht, weil wir beide Raucher sind. Unsere Suite lag im 12. Stock. Von dort oben hatten wir einen atemberaubenden Blick über die Stadt.

Sonntag: An der Rezeption erkundigte ich mich nach der nächstgelegenen Kirche und den Gottesdienstzeiten. Die *Cathedral Metropolitana* lag nur fünf Blocks vom Hotel entfernt. Die Messe begann zwar erst um elf Uhr, aber Maria wollte schon um neun Uhr in Richtung Kathedrale gehen. »Wir können ja in der Nähe noch einen Kaffee trinken«, sagte sie. Ich war einverstanden.

Bei gefühlten 35 Grad im Schatten schoben wir uns also samt Kinderwagen langsam in Richtung Kathedrale. Als wir vor dem imposanten, weiß leuchtenden Bau standen, sagte Maria: »Komm, lass uns mal kurz reingehen.« Ich runzelte die Stirn: »Ist doch noch nicht mal halb zehn.«

Wir warfen einen kurzen Blick hinein und waren sofort in einer anderen Welt! Vor den vier Beichtstühlen hatten sich lange Schlangen gebildet. So was hatten wir in Deutschland noch nie gesehen. Aber so ist das eigentlich in ganz Lateinamerika: Man geht gewöhnlich nur dann zur Kommunion, wenn man vorher das Bußsakrament empfangen hat. Wir verließen die Kathedrale wieder, um in einem nahegelegenen Eiscafé einen Kaffee zu trinken. Aber als wir gegen zwanzig vor elf zurückkehrten, hatten wir Mühe, noch einen Sitzplatz zu finden. Es war wirklich brechend voll.

Was Maria und ich nun zu sehen bekamen, hatte es wirklich in sich. Wir wussten nicht, ob das, was sich neben uns im rechten Seitenschiff der Kirche abspielte, eine Bußübung war, die der Beichtvater seinen Pönitenten auferlegt hatte oder ob sie das freiwillig taten. Jedenfalls sahen wir mit eigenen Augen, wie ein junges Ehepaar auf Knien durch die Kathedrale rutschte, vor dem riesigen Kruzifix Halt machte, den Herrn um Vergebung für seinen Ehestreit anflehte und sich dann, immer noch auf Knien, heulend in den Armen lag.

Der Lateinamerikaner sündigt natürlich nicht weniger als der Deutsche, aber sein Verhältnis zur Kirche ist ein anderes. Nehmen wir zur Verdeutlichung ein Bild aus dem Sport, meinetwegen dem Stabhochsprung. Die Latte, die die Anforderungen der Kirche repräsentieren möge, liegt auf einem Meter fünfzig. Der Lateinamerikaner sagt sich: »Das ist mir zu hoch, das schaffe ich nie.« Und geht einfach unter der Latte her. Die Position der Messlatte selbst, also die Anforderungen der Kirche, würde er aber noch nicht mal im Traum in Zweifel ziehen. Der Deutsche hingegen sagt: »Die Latte liegt mir viel zu hoch. Sie möge doch um einen Meter abgesenkt werden, damit ich bequem darübersteigen kann.«

Die heilige Messe wurde zelebriert von Edmundo Ponziano Valenzuela Mellid, der seit dem 6. November 2014 der neue Erzbischof von Asunción ist. Sein Vorgänger, Eustaquio Pastor Cuquejo Vergas, der zuvor altersbedingt zurückgetreten war, nahm ebenfalls an der Messe teil, allerdings im Rollstuhl.

Nach der Messe nahmen wir ein Taxi zum Einkaufszentrum *Shopping del Sol*, um uns bei *Burger King* mit Nicola und Sven, einem deutschen Ehepaar, das schon seit zehn Jahren in Paraguay lebt, zu treffen. Wir hatten vorher bereits einen wochenlangen E-Mail-Austausch gehabt, und Maria und ich hatten dabei schnell den Eindruck gewonnen, dass die beiden sehr kompetent und sachkundig waren und uns ggf. bei der Einwanderung behilflich sein konnten. Sie lebten in einem sogenannten *barrio privado*, ca. 50 Kilometer östlich von Asunción, in der Nähe der Kleinstadt Nueva Colombia.

Nun lernten wir sie endlich persönlich kennen.

Nach anregendem Geplauder und einem Mittagessen beim Chinesen, übergaben wir ihnen unsere legalisierten Original-Dokumente. Sven sagte, dass sich ab jetzt die sehr erfahrene und professionelle Bettina, die ebenfalls zu ihrem Netzwerk gehörte, um die weitere Organisation kümmern würde. Wir sollten für die Behördengänge mit Bettina als Dolmetscherin ungefähr fünf bis sechs Stunden einplanen, aber innerhalb eines Tages wäre dann auch alles erledigt – auf jeden Fall noch innerhalb der Zeit unseres Paraguayaufenthalts. Wir hatten also noch zehn Tage Zeit.

Am Abend kamen Maria und ich wieder auf das von ihr geschaute Deutschland-Szenario zurück. Wenn auch nur die Hälfte der von ihr geschauten Ereignisse eintreffen würde, würde es das uns bekannte Deutschland schon in naher Zukunft nicht mehr geben. Natürlich machte ich mir Sorgen, ob es nicht vielleicht auch in Paraguay unruhig werden könnte. Doch Maria beruhigte mich: **»Die nächsten zwanzig Jahre hält Paraguay. Dafür gebe ich dir mein Wort.«**

Bereits im Oktober 2016 hatte sie mir mit Blick auf unser zukünftiges Leben in Paraguay gesagt: **»Dann sitzt du auf unserer Terrasse mit kleiner Satellitenschüssel und guckst deutsche Nachrichten. Und dann sagst du: *Schatz, komm mal schnell her, das musst du dir angucken. Du glaubst nicht, was in Deutschland los ist.*«**

Auch zu Donald Trump, dem gerade gewählten neuen US-Präsidenten, äußerte sie sich an jenem Abend: **»Trump riskiert viel und wird auch viel erreichen, aber im Gegensatz zu Obama spielt er mit dem Feuer. Er riskiert nicht nur sein eigenes Leben, sondern auch das seiner Kinder.«**

Als ich Maria fragte, wie lange es Trump denn machen würde, sagte sie: **»Eine Amtszeit macht er auf jeden Fall, vielleicht auch**

zwei.« Ich hakte nach: »Was denn nun, eine oder zwei?« Antwort: **»Zwei.«**

Später wollte ich es dann ganz genau wissen, weil ich die Befürchtung hegte, Trump könnte früher oder später das gleiche Schicksal erleiden wie John F. Kennedy, aber Maria sagte mir ganz klar: **»Trump wird *nicht* ermordet.«**

Aber egal, wie es nun letztendlich kommen wird – seien wir nun erst mal froh, dass wir das israelfeindliche Obama-Regime endlich los sind. Die Obama-Jahre brachten uns den »Arabischen Frühling«, den Bengasi-Anschlag, den IS, den Bürgerkrieg in Syrien, den Bürgerkrieg in der Ukraine, den Atomdeal mit dem Iran und den Beinahe-Krieg mit Russland. Schlimmer als Obama kann Trump auch nicht werden. Und stellen Sie sich mal vor, Hillary Clinton hätte es ins Oval Office geschafft! Katastrophe!

Wer wissen will, wie die Clintons wirklich ticken, der rufe sich den 26. Januar 1999 in Erinnerung. Als die Alitalia-Maschine mit Papst Johannes Paul II. an Bord in St. Louis gelandet war und der bereits äußerst gebrechliche Papst die Gangway herunterschritt, nahm ihn Präsident Clinton dort absichtlich nicht persönlich in Empfang. Der alte Mann musste unter starken Schmerzen die dreihundert Meter zu Bill Clinton zu Fuß zurücklegen. Das ist der objektive Nachweis dafür, dass die Clintons den Papst als Stellvertreter Gottes auf Erden nicht anerkennen und ihren humanistischen Atheismus höherstellen als die Unterwerfung unter die Kirche. Ganz anders Präsident George W. Bush, der im Anschluss an eine Privataudienz bei Papst Johannes Paul II. offen bekannte: »Ich habe dem Papst in die Augen geschaut, und ich habe Gott gesehen.«

Dienstag: Wir waren gerade mit unserer Tochter auf dem Spielplatz, als Maria unweit von uns einen armen Jungen im Schatten sitzen sah. Er zog viele Fliegen an, weil er sich möglicherweise schon seit Tagen oder Wochen nicht mehr gewaschen hatte. Maria drückte ihm 10.000 Guaranies in die Hand (ca. 1,66 Euro), die er, ohne auf den Betrag zu achten, eilig und dankbar in seine Hosentasche steckte.

Man muss immer Gutes tun. Es gab zwar mal einen französischen Dichter, François Villon, aus dessen Feder die Zeilen flossen: »*Wen Gott straft mit harter Hand, dem darf kein Christ sein Mitleid schenken*«, aber diese Sentenz haben Maria und ich uns nie zu Eigen gemacht. Wir glauben fest an das Evangelium: »*Was ihr für einen meiner geringsten Brüder getan habt, das habt ihr mir getan*« (Mt 25,31-46).

»Man muss immer Gutes tun, dann genießt man auch göttlichen Schutz«, sagte Maria. »Nimm zum Beispiel den paraguayischen Staatspräsidenten Horacio Cartes. Er trat erst im Jahre 2009 der Colorado-Partei bei und war schon vier Jahre später Staatspräsident. Warum? Weil er Millionen an die Armen spendete. Er hat zwar seine Bodyguards, aber er fühlt sich sicher. Sein Innerstes weiß, dass ihm nie etwas passieren wird. Bei Leuten, die immer nur haben wollen und nichts Gutes tun, schlägt Gott früher oder später zu. Da reicht eine einfache Impfung. Plötzlich kommt es zu einer Entzündung, für die kein Arzt eine Erklärung hat. Die Entzündung frisst sich bis zum Knochen durch. Der Mensch stirbt.«

Was für Horacio Cartes gilt, gilt selbstverständlich auch für Donald Trump. Trump hat in seinem Leben nachweislich dermaßen viel Gutes getan, dass Gott ihm jetzt das höchste irdische Amt anvertraut hat.

An diesem Dienstag suchten wir auch ein Tourismusbüro auf. Bei einer netten Dame erkundigten wir uns nach einem deutschsprachigen Insider, der uns ggf. die Stadt zeigen und all unsere Fragen beantworten konnte. Die Dame sagte, dass sie jemanden für uns hätte. Sein Name wäre Manuel, und wenn ich ihr meine E-Mail und Telefonnummer daließe, würde er sich kurzfristig bei uns melden.

Mittwoch: Es hat ein bisschen gedauert, bis ich mir das spanische Wort für Aschenbecher – *cenicero* – merken konnte, aber als ich heute in einem Café tatsächlich um einen *cenicero* bat, verstand mich keiner. Schnell merkte ich, dass ich mich in einem rein einheimischen Lokal befand und dass man in Paraguay nicht nur Spanisch spricht, sondern auch Guaraní. Und auf Guaraní heißt Aschenbecher eben nicht *cenicero*, sondern *treyo*. Guaraní ist die Sprache der paraguayischen Ureinwohner und hat mit dem Spanischen keinerlei Ähnlichkeit.

In Deutschland ändert selbst ein relativer Wohlstand nichts an den herabgezogenen Mundwinkeln der Deutschen und ihrer ständigen Unzufriedenheit. In Paraguay ändert selbst die relative Armut nichts an der Zufriedenheit der Menschen. Das ist ein faszinierendes Faktum, das man unbedingt mal wissenschaftlich untersuchen sollte. Mit dem schönen Wetter allein kann man dieses Glück der Paraguayer jedenfalls nicht erklären. Maria und ich standen abends mit einem Johnnie Walker auf unserer Terrasse im 12. Stock, als ich sie nach der Ursache für das mysteriöse Glück der Paraguayer fragte. Marias Antwort war so simpel wie wahr: »Ganz einfach, diese Leute hier glauben wirklich an Gott.«

Es gibt nur wenige Wahrheiten, die buchstäblich zeitlos sind und für alle Kulturen, alle Länder und zu allen Zeiten gelten. Eine dieser Wahrheiten heißt: *Männer halten Ausschau nach Jugend und Schönheit, Frauen halten Ausschau nach Geld und Erfolg.* Für die Frauen in Paraguay gilt dies in besonderem Maße, sagte uns eine Deutsche, die schon lange in Paraguay lebt. »Ein Mann kann hier ruhig seinen Ehering tragen, das interessiert die Paraguayerin nicht: Wenn er nach etwas aussieht und einen gewissen Status ausstrahlt, wird sie ihn gnadenlos anbaggern. Da kennt die nichts. Die hält sofort ihren Hintern hin.« Maria und ich mussten lauthals auflachen.

Deutsche Männer genießen bei den paraguayischen Frauen einen relativ hohen Status, vor allem, wenn sie blond und blauäugig sind, deshalb empfehle ich den deutschen Ehefrauen dringend, gut auf ihre Männer aufzupassen. Die sind hier schneller weg, als sie es mitkriegen.

Die typische deutsche Kampflesbe mit Pisspotthaarschnitt, dominantem Gehabe und fetter Wampe gibt's hier Gott sei Dank nicht. Die Frauen in Paraguay sind durch die Bank hübsch und sehr feminin. Es gibt auch viele echte Schönheiten darunter. Ich habe hier noch keine Einheimische gesehen, die sich in irgendeiner Weise gehen ließ oder unvorteilhaft oder öko gekleidet war.

Genau wie in Deutschland läuft hier jede *chica* mit Smartphone rum. Genau wie in Deutschland tippt sie mit beiden Daumen und äußerst fix ihre WhatsApp-Nachrichten, und genau wie in Deutschland tippt ihr männliches Pendant mit dem Zeigefinger und äußerst langsam seine Nachrichten. Genau wie in Deutschland telefonieren hier neunzig Prozent der Männer mit dem linken und neunzig Prozent der Frauen mit dem rechten Ohr.

Donnerstag: Als wir um 8.15 Uhr aus dem Hotelfahrstuhl stiegen und die Lobby betraten, war alles voll mit Männern in schwarzen Anzügen und Frauen in eleganten Kostümen. Wir hatten noch keine Ahnung, was das bedeuten sollte. Auf dem Weg hinaus auf die Straße entdeckten wir dann auch zwei Kamerateams. Einige Straßen waren gesperrt, und es standen da jede Menge Soldaten mit Maschinenpistolen. Da durfte man eigentlich davon ausgehen, dass es nicht Lady Gaga war, die zu Besuch kam, sondern ein ziemlich hohes politisches Tier. Ich erkundigte mich bei einem Hotelmitarbeiter. Er sagte, dass Horacio Cartes, der Staatspräsident Paraguays, gleich ins Hotel käme.

So lange wollten wir allerdings nicht warten. Wir wollten die wenigen Tage in Asunción intensiv nutzen und die vielen Straßen mit ihren interessanten Geschäften zu Fuß erobern. Außerdem hatten wir noch einige Besorgungen zu machen.

Wenn man durch Asunción schlendert, stellt man schnell fest, dass es praktisch keine Straße gibt, in der nicht wenigstens eine paraguayische Flagge weht. Und das ist auch gut so. Die ständige Präsenz der Nationalflagge stärkt die Identität und fördert die geistige Gesundheit eines Volkes. Man muss ja nicht gleich in einen exzessiven Nationalismus verfallen, man kann es auch etwas moderater angehen. Ein gesunder Patriotismus, der andere Nationen nicht diskriminiert, hat auf jeden Fall was. Ich habe nie wirklich verstanden, warum es in Deutschland auch Parteien gibt, die sich nicht ausdrücklich für die Förderung des deutschen Patriotismus stark machen. Ich glaube, außer in Deutschland, gibt's das nirgendwo auf der Welt. Übrigens stehen die Farben der paraguayischen Nationalflagge – Rot, Weiß und Blau – für Gerechtigkeit, Frieden und Freiheit.

Seit Jahren beobachten wir eine schleichende Umkehrung des Globalisierungsprozesses. Langsam aber sicher – so unser Eindruck – möchten die Menschen wieder zu den gesunden Nationalstaaten zurück. Amerika unter Trump macht wie immer den Anfang. *»America first«*, heißt es jetzt wieder in den USA. Aber wenn Sie glauben, es würde demnächst auch in Deutschland wieder *»Germany first«* heißen, muss ich Sie leider enttäuschen.

Es gibt nur eine Sache, die mich hier in Paraguay wirklich stört: Brot können die nicht backen. Deshalb mein Aufruf an alle ausreisewilligen deutschen Bäcker: Kommt bitte umgehend nach Paraguay! Ist doch egal, ob ihr in Deutschland oder in Paraguay um drei Uhr morgens aufstehen müsst.

Und auch unseren frustrierten deutschen Polizisten würde ich von ganzem Herzen raten: Wenn ihr euch das auch nur irgendwie leisten könnt, dann kommt nach Paraguay! Statt euch in Deutschland vom Gesocks anspucken oder die Fresse polieren zu lassen, bringt man euch in Paraguay allergrößten Respekt entgegen. Außerdem könnt ihr hier viel in der Sonne spazieren gehen. Erstens gibt es hier so gut wie keine Kriminalität, und zweitens:

Falls ihr wirklich mal einen Kleinkriminellen etwas intensiver verarzten müsst, lassen euch Politik und Justiz anschließend nicht im Regen stehen. Beide stehen dann voll hinter euch. Aber die deutschen Verkehrsregeln müsst ihr hier vergessen. Ich saß selbst in einem Taxi, dessen Tacho ca. 100 km/h anzeigte, als der Fahrer gerade an einem Schild »50 km/h VELOCIDAD MAXIMA« (50 km/h Höchstgeschwindigkeit) vorbeifuhr. Nach deutschen Maßstäben produziert hier ein normaler paraguayischer Autofahrer innerhalb einer Stunde rund hundert Punkte in Flensburg. Wenn man in Deutschland so fahren würde, gäbe es einen lebenslangen Führerscheinentzug und bis ans Lebensende Tretroller.

Später habe ich Manuel mal gefragt, warum die Unfallhäufigkeit in Paraguay trotz völliger Ignoranz der Verkehrsregeln, die es hier selbstverständlich auch gibt, nur unwesentlich höher ist als die in Deutschland. Antwort: »Die Paraguayer haben die Fähigkeit, intuitiv zu fahren.« Übersetzt heißt das: Während man in Deutschland z.B. fest auf »rechts vor links« vertraut, hat der Paraguayer einen untrüglichen Instinkt für das jeweilige Verhalten der anderen Verkehrsteilnehmer. Er spürt einfach, aus welcher Richtung welche Gefahr droht.

Als wir gegen zehn Uhr wieder in der Hotellobby waren, schallte uns bombastische Orchester- und Chormusik entgegen. Das Stück kannten wir zwar nicht – wir hörten immer nur *»América, América«* – aber später haben wir es dann zufällig auf YouTube gefunden: *»Cuando Dios hizo el edén pensó en América – Als Gott den Garten Eden erschuf, dachte er an Amerika«*. Auf der Empore im ersten Stock standen an allen vier Seiten die Solisten und schmetterten, was das Zeug hielt. Das zweite Stück kannten wir allerdings: Es war das Trinklied aus *»La Traviata«* von Giuseppe Verdi. Den Staatspräsidenten konnten wir innerhalb der dicht gedrängten Menschenmasse zwar nicht entdecken, aber wie ich später hörte, soll er auch relativ klein sein.

Gegen vierzehn Uhr trafen wir uns mit Manuel, der uns am kommenden Samstag ganztägig Asunción zeigen sollte. Manuel war gebürtiger Paraguayer, hatte aber viele Jahre in Bayern gelebt. Mit festem Händedruck und einem herzlichen »Grüß Gott« begrüßte er uns. Wir vereinbarten einen Preis, und Maria sagte ihm sofort, dass sie alle relevanten Stadtteile kennenlernen und gleichzeitig erfahren wollte, wo sich die jeweiligen Supermärkte, Kirchen, Krankenhäuser und Kindergärten befanden. »Kein Problem«, sagte Manuel. »Wir treffen uns am Samstag hier vorm Hotel. So gegen acht Uhr. Ich stehe euch dann bis siebzehn, achtzehn Uhr zur Verfügung, beantworte alle eure Fragen und zeige euch alles, was ihr sehen wollt.«

Maria wollte einen Kaffee trinken. Aber nicht im Hotel. Wir sollten uns ein schickes Café suchen. Okay, wir zogen los. »Guck den *chicas* nicht immer so auf den Arsch!« Sie warf mir einen bösen Blick zu.

Maria war verrückt nach der paraguayischen Confiserie. Ich habe mal gekostet. Wirklich Weltklasse. Ein Muss für jeden Touristen. »Aber iss nicht zuviel davon«, riet ich ihr. »Denk daran: Ab siebzig Kilo ist man ein Kerl.«

Freitag: Während Frau und Tochter Siesta machten, schlenderte ich zum *Bolsi*, das inzwischen zu unserem Lieblingsrestaurant in Asunción geworden war. Es lag in der Nähe unseres Hotels und hatte an sieben Tagen rund um die Uhr geöffnet. Ich wollte dort ein Heineken trinken.

Auf dem Weg dorthin kam ich an einem Antiquariat vorbei. Ich stöberte ein bisschen in den Büchern, entdeckte u.a. den *»Anticristo«* von Friedrich Nietzsche und stieß dann auf eine kleine Stroessner-Biografie: *»Yo, Alfredo Stroessner«* von Alcibíades González Delvalle.

Der deutschstämmige Alfredo Stroessner (1912 – 2006) hatte Paraguay 35 Jahre lang (von 1954 bis 1989) regiert. Am 3. Februar 1989 wurde er von seinem engsten Vertrauten und Paladin General Andrés Rodríguez *»im Dienste der Demokratie«* aus dem Amt geputscht. General Rodríguez hatte dann auch gleich versprochen, die *»Einheit der Streitkräfte«* wiederherzustellen, die Demokratie einzuführen, die Menschenrechte und die römisch-katholische Kirche zu achten. Rodríguez führte freie demokratische Wahlen ein und blieb viereinhalb Jahre lang der Präsident Paraguays.

Man kann ja über Stroessner denken was man will, er war alles andere als ein Heiliger, aber im Jahre 1954 war er tatsächlich so etwas wie ein Licht in der Finsternis. Denn bis dahin hatte eine Junta die andere abgelöst und Paraguay ziemlich destabilisiert. Freie Wahlen gab es unter Stroessner allerdings nie. Und wenngleich ihm die Stabilisierung Paraguays auch gelang, so blühten unter ihm doch auch Veruntreuung, Korruption und Vetternwirtschaft. Aber immerhin war er ein strikter Anti-Kommunist und Anti-Liberaler und genoss deshalb den Segen der USA.

Mir persönlich ist es egal, ob ich in einer Republik lebe oder in einer Monarchie, solange meine Mitmenschen und ich ein Maximum an persönlicher Freiheit und Sicherheit genießen. Ohne Kapital und unternehmerische Freiheit kann kein Gemeinwesen dauerhaft überleben. Manche sagen: Ohne soziales Gewissen aber auch nicht. Nun, die Ansichten darüber sind verschieden. Jedenfalls muss jede Regierung höllisch aufpassen, dass sich ein soziales Gewissen nicht verselbstständigt, irgendwann wie Krebs zu wuchern beginnt und schließlich im puren Sozialismus endet. Die Menschen sind nun mal nicht gleich. Arm und reich, krank und gesund, gebildet und ungebildet wird es immer geben. Aber damit alles in Freiheit, Frieden und Gerechtigkeit funktionieren kann, ist es notwendig, dass ein Staat über die richtigen tragenden Säulen verfügt. In Paraguay waren es lange Zeit (und sind es gewissermaßen auch heute noch) die katholische Kirche, das Militär, die Partei und die Großgrundbesitzer. Viele halten solche Gesellschaftsmodelle für überholt, aber aus den Prophezeiungen wissen wir, dass nach den europäischen Revolutionen und der vollständigen Beseitigung des Sozialismus die alten Zeiten wiederkommen. Natürlich nicht in exakt derselben Art, aber so ähnlich. Insofern ist Paraguay schon eine Art Modell auch für die europäische Zukunft. Deutschland verfügt aktuell über zwei Millionen Beamte. Fünf Prozent – also hunderttausend – wären mehr als ausreichend.

Die logische Konsequenz aus dem in den westeuropäischen Staaten praktizierten gottlosen Sozialismus ist der Egoismus des Einzelnen. Jeder denkt nur an sich selbst, bis ganz Westeuropa schließlich vollkommen in sich zusammengefallen ist. Wenn ein Staat hingegen jegliche Form von staatlicher Wohlfahrt strikt ablehnt, werden automatisch Geduld, Demut und Nächstenliebe gefördert – immer natürlich vorausgesetzt, dass die Menschen vorher *strictissime* im römisch-katholischen Glauben erzogen wurden. Aber genau das bekämpft der gottlose Sozialismus auf Teufel komm raus. Die Folge ist, dass der gottlose sozialistische Staat immer sozialistischer wird und mit immer totalitäreren Maßnahmen gegen seinen eigenen Untergang ankämpfen muss.

Ich sagte, dass die Farben der paraguayischen Nationalflagge rot – weiß – blau für Gerechtigkeit, Frieden und Freiheit stehen. Stroessner sagte dazu: *»Patriotismus ist der Zement des Friedens«* und *»Arbeit ist das Fundament der Freiheit«*.

Arbeit und Frieden kann man praktisch synonym gebrauchen. Ohne die Gewährleistung von Arbeit und Frieden kann jede Regierung einpacken.

Ich weiß nicht mehr, wie ich mit Maria auf die Bedeutung der Farben von Nationalflaggen zu sprechen kam, jedenfalls sagte sie mir dazu folgendes: Schwarz = Atheismus. Weiß = Gott und Frieden. Gelb = Satan. Grün = Natur. Rot = Teufel. Blau = Meer und Freiheit. »Wo hast du denn den Scheiß her?« fragte ich sie. »Das hat mir mal vor vielen Jahren ein Mann erzählt«, erwiderte sie. »Die Farben stehen angeblich für die Gefühle, die in einem Land vorherrschen.« Natürlich glaubte Maria diesen Unsinn nicht wirklich.

Samstag: Heute stand uns Manuel ganztägig zur Verfügung. Er wurde zwar in Paraguay geboren, hatte aber sein halbes Leben in München verbracht. Er sprach deshalb ein relativ gutes Deutsch mit bayerischem Akzent. Um acht Uhr holte er uns mit seinem Wagen vom Hotel Guaraní ab.

Das erste Stadtviertel, das er uns zeigte, und das auch gleich zu unserem Lieblingsviertel wurde, hieß *San Miguel*. Angeblich war es das zweitbeste Viertel von ganz Asunción. Es machte einen äußerst gepflegten Eindruck und verfügte angeblich über sehr gute private Bildungseinrichtungen.

Für Paraguay gilt in Sachen Bildung das Gleiche wie für Deutschland: Öffentliche Schulen haben nicht annähernd das Niveau der privaten katholischen Schulen, deshalb sind sowohl die alten wie die neuen Eliten praktisch ausnahmslos Zöglinge der Kirche.

Wir besuchten auch den *Mercado Municipal No. 4*, kurz *Mercado Cuatro* genannt. Der Markt wirkte auf uns wie ein riesiger orientalischer Souk. Hier kann der paraguayische Normalverdiener äußerst preiswert einkaufen. Auf unserem Spaziergang durch die unendlich langen Gassen des Marktes scherzte Manuel: »In Paraguay gibt es drei Hauptreligionen: Katholizismus, Fußball und Bier.«

Danach fuhren wir die Straße *Eusebio Ayala* entlang. Sie heißt im Volksmund auch »Wirtschaftsstraße«. Wenn Sie Ihr neues Domizil nach Ihrem persönlichen Geschmack einrichten möchten, werden Sie hier garantiert fündig. Von der Gardine bis zum Flatscreen, vom Staubsauger bis zur Waschmaschine gibt's hier einfach alles.

Asunción hat für jedes Portemonnaie die passenden Produkte. Man kann hier mit dreihundert Euro im Monat leben (z.B. als Selbstversorger), mit achthundert oder mit fünftausend. Unabhängig von den finanziellen Möglichkeiten lebt man hier aber auf jeden Fall sehr sicher. Viele Geschäfte, Restaurants und Wohnanlagen verfügen über eigene Wachleute. Das erinnerte mich gleich an Israel. Dort bezahle ich bei einem Cafébesuch ja auch umgerechnet rund 20 Cent nur für den Wachmann. In Deutschland sind wir mentalitätsmäßig noch nicht so weit. Der Deutsche bezahlt beim Einkaufen gern 20 Cent zusätzlich für UNICEF, aber nicht für einen Wachmann, der ggf. sein Leben beschützt.

Wem das Geld etwas lockerer sitzt, kann sich im *Casa Rica* (*»rico«* heißt auf Spanisch nicht nur »reich«, sondern auch »lecker«), einem traumhaften Gourmet-Supermarkt mit internationalen Produkten, kulinarisch regelrecht austoben. Hier gibt's von allem nur das Beste. Vor allem die Abteilung mit den internationalen Spitzenweinen sucht ihresgleichen.

Bestandteil des *Casa Rica* ist auch ein kleines Lokal, links vom Eingang, wo man draußen unterm Sonnenschirm etwas zu sich nehmen kann. Maria und ich tranken ein Heineken, Manuel ein Wasser – schließlich musste er uns fahren. Ich sagte zu Manuel, dass sich Paraguay ab dem zweiten Halbjahr 2017 schon mal auf eine regelrechte Einwanderungswelle von Deutschen einstellen könnte. Auf ihn und sein Büro käme sehr viel Arbeit zu. Er solle seinem Chef ausrichten, dass der sich schon mal nach zusätzlichen deutschsprachigen Touristenführern umschauen solle. Manuel nickte, er hatte sich so was schon gedacht. Als ehemaliger Bayer bekam er einiges von dem mit, was in Deutschland gerade abging. Er hatte hier in Asunción als Reiseführer extrem viel zu tun, angeblich musste er jetzt schon an sieben Tagen in der Woche arbeiten, trotzdem wurden seine Dienstleistungen zunehmend nachgefragt. Hinzu kam der Stress mit seiner Ehefrau, weil er praktisch nie zu Hause war. Trotzdem erwies er sich als ausgesprochen hilfsbereit. Wenn wir wieder in Deutschland wären, wollte er uns per E-Mail interessante Mietangebote sowie Fotos der entsprechenden Wohnungen schicken und auch einen Kontakt zu einer seriösen Spedition, die unseren Container nach Asunción verschiffen sollte, vermitteln.

»Womit kann man in Paraguay eigentlich Geld verdienen?« wollte ich von ihm wissen. Seine Antwort überraschte mich: »In Paraguay verdient man das meiste Geld in der Landwirtschaft.«

Als ich noch am selben Tag in einer Tiefgarage diverse Luxuskarossen sah, fragte ich mich natürlich, wie weit der Begriff »Landwirtschaft« in Paraguay tatsächlich gefasst wurde.

Wer gar nicht aufs Geld gucken muss, der lässt sich am besten im Viertel *Las Carmelitas* nieder, dem eindeutig besten Viertel der Stadt. Die Villen dort sind ein einziger Traum.

Sonntag: Heute wollten wir nach der Messe Nicola und Sven besuchen. Das Paar lebte mit seinen beiden Kindern in einem sogenannten *barrio privado* in der Nähe von Nueva Colombia.

Am Taxistand vor unserem Hotel fragte ich den erstbesten Taxifahrer, ob er uns für 200.000 Guaranies (33 Euro, denn mehr muss man in Paraguay für 50 Kilometer nicht bezahlen) nach Nueva Colombia fahren könnte. Als er erwiderte, dass er nach Taxameter fahren würde, musste ich einen Blackout gehabt haben, vielleicht lag es auch an der Sonne, denn ich ging tatsächlich auf diesen Schwachsinn ein. Nueva Colombia liegt ungefähr fünfzig Kilometer östlich von Asunción, und das einzige Nest, das man auf dem Weg dorthin durchquert, heißt Luque.

»Ist das Luque?«, fragte ich ihn nach ungefähr zwanzig Minuten. »Nein, das ist San Lorenzo«, erhielt ich als Antwort. »San Lorenzo liegt südlich von Asunción, wir müssen aber nach Osten, Richtung Luque«, sagte ich. »Ich kenne nur diese Strecke«, erwiderte der Typ. Spätestens jetzt fiel bei mir der Groschen. Wir wurden abgezockt. Auf San Lorenzo folgte San Bernadino, und statt der normalen fünfzig Minuten waren wir fast zwei Stunden unterwegs.

Es passiert mir nur ganz selten, aber diesmal war ich wirklich auf hundertachtzig. Ich hätte das Arschloch mit bloßen Händen erwürgen können. Beim Bezahlen wünschte ich ihm dann auch Typhus, Pest und Cholera an den Hals.

Endlich waren wir am *barrio privado* angekommen, wo uns Nicola bereits vor dem großen Tor lachend erwartete. Nachdem ich dem Taxifahrer also seine 450.000 Guaranies (75 Euro) in die Hand gedrückt hatte, sagte Nicola zu mir: »Jeder bezahlt hier in der ersten Zeit Lehrgeld. Es ist absolut wichtig, vor jeder Taxifahrt einen festen Fahrpreis zu vereinbaren. Niemals auf den Vorschlag mit einem Taxameter eingehen.«

Wir stiegen in Nicolas Auto und fuhren dann mit ihr durch das weitläufige *barrio* zu ihrer hübschen Villa mit Pool. Dort erwartete uns bereits ihr Mann Sven. Beim Kaffeetrinken kamen wir dann auch endlich auf das Thema zu sprechen, weshalb wir eigentlich in Paraguay waren: Die unvermeidlichen Behördengänge. Sven sagte: »Bettina holt euch am Dienstag um 9.30 Uhr an der Rezeption ab. Die ist sehr professionell, dann seid ihr innerhalb von fünf, sechs Stunden mit dem ganzen Thema durch.« Für die Rückfahrt nach Asunción besorgte er uns dann auch einen vertrauenswürdigen Taxifahrer, der uns für 200.000 Guaranies (33 Euro) zum Hotel zurückfuhr.

Als unsere Tochter im Bett war, standen Maria und ich mit einem Johnnie Walker auf unserer Terrasse im 12. Stock, genossen die warme Abendluft und wussten, dass das Kapitel Deutschland für uns so gut wie abgeschlossen war. Über Merkel regten wir uns schon lange nicht mehr auf. Wir wussten ja, dass sie nichts zu sagen hat und dass sie nur das tat, was ihr befohlen wurde.

Montag: *Tigo* ist der größte Internetprovider Paraguays. Maria holte sich im *Tigo* Shop eine paraguayische Prepaidkarte. Die Mitarbeiterin war sehr professionell. Sie schaltete auch gleich WhatsApp frei.

Dienstag: Heute war der alles entscheidende Tag – der Marsch durch die Behörden zwecks Beantragung der Daueraufenthaltsgenehmigung und der *cédula* (paraguayischer Personalausweis).

Bettina holte uns pünktlich um 9.30 Uhr an der Rezeption ab. Sie lebt seit 26 Jahren in Paraguay. Wir waren gleich per du.

Für jene Leser, die sich ebenfalls mit dem Gedanken tragen, nach Paraguay auszuwandern, habe ich die einzelnen Schritte, die wir mit Bettina unternommen haben, genau aufgezeichnet:

- Jeder Einwanderungswillige muss zuerst seine **Solvenz** nachweisen, indem er einen Betrag in Höhe von **25 Millionen Guaranies** (rd. 4.200 Euro) **in bar** bei der **Banco Central del Paraguay** (Zentralbank) einzahlt (Familien zahlen diesen Betrag nur einmal, es muss also nicht jedes einzelne Familienmitglied zahlen). Wir gingen also zu Fuß zur BNF (Banco Nacional de Fomento), die eine Zweigstelle der paraguayischen Zentralbank ist und nur wenige Meter von unserem Hotel entfernt lag. Ich holte die Tüte mit 250 Hunderttausend-Guaranies-Scheinen aus der Tasche und zahlte das Geld in bar ein (Vorab-Überweisungen aus Deutschland werden nicht akzeptiert – das Geld *muss* vor Ort und in bar eingezahlt werden).
- Danach ging es (wiederum zu Fuß) zum **Notar**. Dort mussten wir unterschreiben, dass wir die paraguayischen Gesetze einhalten würden.
- Anschließend fuhr uns Bettinas Assistent zu **Interpol**. Dort mussten wir unsere Fingerabdrücke abgeben. In der kleinen Empfangshalle hingen nicht nur dreiundzwanzig Fotos hoher Polizeioffiziere, sondern auch ein Foto von Papst Johannes

Paul II. Um die Druckerschwärze wieder von den Fingern zu bekommen, schickte uns ein Beamter zum *sanitario*, also zur Toilette. Auf dem Weg dorthin kamen wir an dem Büro eines Beamten vorbei, der auf seinem Schreibtisch eine fünfzig Zentimeter große Statue der Muttergottes stehen hatte (Stellen Sie sich das mal in einer deutschen Behörde vor).

- Bettinas Assistent fuhr uns nun zur **Dirección General de Migraciones**, der Ausländerbehörde, wo uns Bettina bereits erwartete. Dort mussten wir ein weiteres Mal unsere Unterschriften leisten und wiederum Fotos von uns machen lassen. Um 12.30 Uhr war alles erledigt. Mit Bettina hatten wir unser Pflichtpensum in der sensationellen Zeit von nur drei Stunden bewältigt. Versuchen Sie das mal ohne Einwanderungshelfer auf eigene Faust zu bewerkstelligen. Unmöglich!
- Die *Migraciones* lagen direkt gegenüber dem Büro des Notars. Dort bekam Bettina von uns eine Vollmacht, mit der sie für uns während unserer Abwesenheit alle weiteren Behördengänge zwecks Erlangung der *cédula* vornehmen konnte.

Wir waren mit Bettinas Leistung sehr zufrieden und können sie deshalb guten Gewissens weiterempfehlen. Ihre Website lautet: http://bmbusiness-service.com

Der nächste Tag, der Mittwoch, war dann auch schon der Tag unserer Abreise. Der Shuttleservice des Guaraní Hotels brachte uns zum Flughafen Silvio Pettirossi. Drinnen gab es eine kleine Kapelle mit einem riesigen Kruzifix, einer Marienstatue und einer aufgeschlagenen Bibel. Wir hielten kurz inne und verrichteten unsere Reisegebete: *»Den Weg des Friedens führe uns der allmächtige und barmherzige Herr. Seine Engel geleiten uns auf den Weg, dass wir wohlbehalten heimkehren in Frieden und Freude.«* Um 13.40 Uhr ging unser Flieger.

Zwei Stunden später landeten wir auch schon in Sao Paulo. Alle Passagiere, die wie wir nach Frankfurt weiterfliegen wollten, wurden in eine Transitzone geführt. Leider gab es dort keine

Möglichkeit zu rauchen. Wir verließen deshalb die Transitzone, mussten also formal emigrieren. Draußen steckten wir uns erst mal eine an. Kurz vor zwanzig Uhr startete unsere Boeing 747 in Richtung Frankfurt.

Warten auf den Tag der Auswanderung

Nachdem unsere Koffer wieder ausgepackt waren, ging es an die Arbeit. Viele Dinge hatten jetzt höchste Priorität:

- Unser **Spanisch-Crashkurs** (Von den großen Hotels in Asunción einmal abgesehen, werden Sie in Paraguay so gut wie niemanden finden, der Englisch spricht. An einem Crashkurs in Spanisch führt also kein Weg vorbei)
- Die **Vertragskündigungen**
- Die Kontaktaufnahme mit einer seriösen **Spedition**, die unseren Container sicher nach Paraguay bringen würde
- Die Kontaktaufnahme mit einem englischsprachigen paraguayischen **Immobilienmakler**, der uns ein paar passende Mietobjekte in Asunción aussuchen sollte. Schließlich würden wir nicht dauerhaft in einem Hotel leben können
- Die Entscheidung, was wir mit nach Paraguay nehmen wollten und was nicht, was wir verschenken oder was wir wegwerfen wollten, also letztlich die Frage der **Entrümpelung**
- Der **Verkauf meines Autos**
- Unsere zweite **Hepatitis A-Impfung** (die erste lag sechs Monate zurück) sowie eine **Impfung gegen Gelbfieber**
- Und zu guter Letzt die **Abmeldung unseres Wohnsitzes**.

Noch im November begannen Maria und ich mit unserem **Spanisch-Crashkurs.** Immer dienstags und donnerstags. Maria hatte ihren Unterricht von 15.30 Uhr bis 17 Uhr, ich von 17 Uhr bis 18.30 Uhr. Unsere Spanischlehrerin stammte aus Peru und hieß ebenfalls María.

In Asunción hatte man uns gesagt, dass manche Banken einen **Herkunftsnachweis für das Geld**, das man von Deutschland nach Paraguay überweisen möchte, verlangen. Sollten Sie also beabsichtigen, einen größeren sechs- oder siebenstelligen Eurobetrag auf eine paraguayische Bank zu transferieren – egal ob das Geld nun aus einem Lottogewinn, einer Erbschaft, einem Hausverkauf oder was auch immer resultiert –, dann sollten Sie sich das rechtzeitig in Deutschland von offizieller Seite bestätigen lassen. Beispiel: Ihr Geld stammt aus dem Verkauf Ihres Hauses. Dann müssen Sie den notariell beurkundeten Kaufvertrag zunächst vom zuständigen Landgericht beglaubigen lassen, bevor Sie ihn dem paraguayischen Konsulat in Berlin zwecks Legalisierung zukommen lassen.

Der 9. Dezember wurde ein richtiger Arbeitstag, denn an jenem Freitag haute ich alle **Vertragskündigungen** raus. Ich hatte mir dafür bereits im August einen Arbeitsplan erstellt, damit ich später auch keine Kündigung vergaß.

An diesem Tag kontaktierte ich telefonisch auch eine **Hamburger Spedition**, die uns als äußerst seriös und kompetent empfohlen wurde. Die Spedition empfahl uns ein Rundum-sorglos-Paket, welches u.a. beinhalten würde, dass uns zunächst einer ihrer Partner besuchen käme, um mit uns vor Ort abzuklären, was alles in den Container sollte. Auf dieser Basis wäre dann die voraussichtliche Containergröße zu ermitteln, was wiederum Voraussetzung für die Unterbreitung eines Kostenvoranschlags wäre. Sechs Tage später kam uns dieser Partner besuchen und notierte sich Pi mal Daumen die Gegenstände, die wir von unserem Hausrat mitnehmen wollten. Er kam zu dem Ergebnis, dass ein 20-Fuß-Container mit 33 Kubikmeter Volumen ausreichen würde.

Am Nachmittag des 21. Dezember lag uns der Kostenvoranschlag der Spedition vor. Das Paket hatte seinen Preis, beinhaltete dafür aber auch wirklich alles – von der Versicherung bis zur Konsulatsabfertigung.

Die Weihnachtsfeiertage verbrachten wir mit der Familie und bei Freunden. Während der hochfeierlichen Christmette wurde mir zwischen *Gloria in excelsis Deo* und *Adeste fideles* bewusst, dass dies unser vorerst letztes Weihnachten in Deutschland sein würde. Einziger Trost: Einige Freunde und jener Teil der Familie, der vorerst in Deutschland bleiben wollte, versicherten uns, dass sie uns in Paraguay besuchen kommen würden.

Am Neujahrstag, dem Hochfest der Gottesmutter Maria, waren wir wie immer in der hl. Messe. Meistens sind wir eine Viertelstunde früher da, weil Maria vor der Marienstatue beten und Opferkerzen für unsere Anliegen anzünden möchte, während ich bereits in der Kirchbank sitze und den Rosenkranz bete. Diesmal gab es jedoch ein besonderes Ereignis, von dem mir Maria allerdings erst Stunden nach der Messe erzählte:

»Die Gottesmutter hat mir wieder zugezwinkert und zugelächelt«, sagte sie. »Sie freut sich immer, wenn wir zu ihr kommen.«

»Echt jetzt?«, fragte ich, doch etwas ungläubig. »Mir hat sie noch nie zugezwinkert.« Ich kann mich ehrlich gesagt auch nicht erinnern, jemals etwas Übernatürliches erlebt zu haben.

»Sie lächelt mich jedes Mal an«, sagte Maria.

»Das hast du mir noch nie erzählt.«

»Das war bis jetzt auch mein Geheimnis. Aber diesmal hat sie mir erlaubt, es dir zu erzählen.«

»Hat sie was gesagt?«

»Ja. Aber es ist noch nicht die Zeit, darüber zu sprechen.«

»Okay«, sagte ich und nahm das jetzt einfach mal so hin.

Zwei Tage später war Maria bei irgendeiner Behörde (habe leider vergessen, um welche es sich handelte), weil sie vor unserer endgültigen Auswanderung noch irgendetwas zu klären hatte.

Später erzählte sie mir von dem Gespräch mit der Beamtin.

»Warum wollen Sie denn ausgerechnet nach Paraguay?«, hatte die Beamtin gefragt. »Das ist doch so weit weg.«

Maria nimmt in der Regel kein Blatt vor den Mund. Sie spricht praktisch immer Klartext. Aber bei Behörden hält sie sich aus Gründen der Political Correctness zurück. Sie weiß schließlich, dass dort sehr viele Frauen auf linksgrün gebürstet sind, und mitunter kommt deren Tugendterror der Terrorherrschaft der Jakobiner während der Französischen Revolution schon gefährlich nahe. Folglich hatte Maria auch diesmal einen auf doof gemacht und nur ganz vorsichtig gesagt: »Ach wissen Sie, ich fühle mich in Deutschland nicht mehr sicher. Ich habe immer so ein mulmiges Gefühl, wenn ich durch die Straßen gehe.«

Die Reaktion der Beamtin überraschte doch sehr: »Ich verstehe Sie sehr gut. Ich sag Ihnen was: Wir sitzen hier auf einer tickenden Bombe. Ich würde selber gerne abhauen. Schade, dass ich bis zur Rente noch dreißig Jahre arbeiten muss.«

Manuel, unser Reiseführer aus Asunción, hatte sich inzwischen als unzuverlässig erwiesen. Er hatte uns versprochen, uns bei der Suche nach einem geeigneten und vor allem bezahlbaren **Mietobjekt** behilflich zu sein. Aber außer heiße Luft kam da gar nichts, noch nicht mal die Telefonnummer eines englischsprachigen Maklers. Deshalb rief ich am 5. Januar Bettina an. Bettina bot uns sofort ihre Unterstützung an und hatte auch schon ein passendes Objekt im Auge: »Direkt bei mir im *barrio* ist ein Haus mit Garten und drei Schlafzimmern zu vermieten. Ist auch bewacht.«

Das hörte sich gut an. Bettina wollte uns auch Fotos zuschicken. »Gebt mir ein paar Tage Zeit. Ich hör mich mal um, was es sonst noch für interessante Objekte für euch gibt.«

So kannten wir unsere Bettina. Danke, Bettina!

Kurz darauf erhielten wir von Bettina per E-Mail dreizehn Fotos und eine Kurzbeschreibung des Objekts. Wir waren sehr angetan. Ich schrieb ihr zurück, dass wir gleich einen Letter of Intent abfassen sollten. Den endgültigen Mietvertrag würde ich natürlich erst in Asunción unterschreiben, nachdem ich genau wüsste, was ich da unterschreibe.

Der Januar brachte auch den ersten Schnee. Ekelhaft! Schon der bloße Anblick von Schnee macht mich krank. Wie schön, dass Paraguay in den letzten fünfhundert Jahren auch nicht eine Schneeflocke gesehen hat.

Nachdem wir die Bestätigung der Spedition vorliegen hatten, wann unser Container beladen würde, buchten wir unsere One-Way-Tickets nach Asunción. Diesmal nicht mit der Lufthansa, sondern mit der deutlich günstigeren Air Europa. Die dazwischenliegenden Tage würden wir bei Freunden wohnen. Wir wollten uns an deren Lebensmittelkosten beteiligen, aber sie meinten nur: »Kommt gar nicht in Frage.«

Glücklich und dankbar waren wir, dass bei dem doch relativ komplexen organisatorischen Unterfangen unserer Auswanderung das meiste ziemlich glatt lief. Das lag mit Sicherheit auch daran, dass wir häufig den Rosenkranz beteten und unablässig Gutes taten, und Gott somit genötigt wurde, den ganzen Müll für uns wegzuräumen. Gutes zu tun war schon immer ein wesentlicher Bestandteil von Marias Naturell. Das fing schon damit an, dass sie unsere Spanischlehrerin regelmäßig mit Tee und Kuchen bewirtete.

Was gibt es sonst noch zu berichten? Ach ja: Vergessen Sie bloß nicht, Ihr **Bürgeramt rechtzeitig** darüber zu informieren, dass Sie Ihren Wohnsitz in Deutschland zum Tage X aufgeben werden.

So, alles erledigt. Paraguay, here we come.

Was Sie noch über Paraguay wissen sollten

Wasser fließt auf der Südhalbkugel linksherum ab, der Mond steht auf dem Kopf, und das hochheilige Weihnachtsfest feiert man bei mindestens 30 Grad im Schatten. Dezember und Januar sind auf der Südhalbkugel die heißesten, Juli und August demzufolge die kältesten Monate – wobei »kalt« immer noch heißt: zwischen 20 und 25 Grad Celsius im Schatten.

Das wussten Sie wahrscheinlich auch schon vorher.

Aber was sollten Sie *wirklich* über Paraguay wissen?

Nun, das hängt zunächst mal von Ihren finanziellen Möglichkeiten und nicht zuletzt auch davon ab, was Sie hier machen wollen.

Bestens geeignet ist Paraguay für deutsche **Rentner** und **Kapitalanleger**. Während dem Gros der Rentner die Altersarmut in Deutschland praktisch garantiert ist, kann er in Paraguay von seiner Rente sehr gut leben. Und Kapitalanleger bekommen hier auf ihr Festgeld **Zinsen**, von denen sie in Europa nur träumen können. Wer hier allerdings arbeiten möchte oder vielleicht sogar muss (deutsche **Handwerker** z.B. sind hier heiß begehrt), der benötigt nicht nur die *cédula*, sondern auch gute Spanischkenntnisse. Der Eintritt in die *Partido Colorado*, der herrschenden Partei, könnte sich ebenfalls positiv auswirken.

Da Paraguay bis vor kurzem über keine nennenswerten Bodenschätze verfügte, konnte es auch nicht in den räuberischen Fokus interessierter ausländischer Kreise geraten. Allein schon deshalb war das Land immer relativ sicher und besaß noch nicht einmal einen eigenen Geheimdienst. Erst am 26. Dezember 2014 hat Paraguays Präsident Horacio Cartes aufgrund der Bedrohung durch den internationalen Terrorismus ein Gesetz zur Schaffung des Geheimdienstes *Sistema Nacional de Inteligencia* (Sinai) verabschiedet. Allerdings sind im Jahre 2010 große Titanerzvorkommen entdeckt worden.

Was die **Mentalität** der Paraguayer betrifft, so oszilliert die irgendwo zwischen *tranquilo* und *mañana*. Pünktlichkeit, Ordnungsliebe und Zuverlässigkeit schätzt man zwar bei den deutschen Einwanderern, aber bitte nicht bei sich selbst. Mehrere Stunden zu spät kommen ist in Paraguay völlig normal, und stressen lässt sich hier niemand.

Ich sagte ja bereits, dass der Paraguayer im Straßenverkehr eher zur Intuition neigt, also ziemlich kreativ Auto fährt. Darüber hinaus ist er aber auch allem Fremden gegenüber sehr aufgeschlossen, sensibel und warmherzig. Er hat allerdings auch seinen Stolz, und der ist leicht zu verletzen. Die kühle und herrische Art, mit der Deutsche häufig miteinander umgehen, ist in Paraguay vollkommen unbekannt und auch ganz klar zum Scheitern verurteilt. Unter Druck setzen lässt sich der Paraguayer schon mal gar nicht, und mit deutscher Kälte und Besserwisserei wird man in Paraguay definitiv scheitern. Wenn es einem allerdings gelingt, das warme, aber auch stolze Herz des Paraguayers zu berühren, dann besteht schon eine gewisse Aussicht auf Erfolg.

Licht und Schatten gibt's natürlich in jedem Land, und jeder setzt da die Prioritäten anders. Bei Maria und mir lagen die Prioritäten eindeutig auf **Freiheit und Sicherheit**, deshalb wollten wir unbedingt raus aus Deutschland. Und dafür nahmen wir die Defizite Paraguays gern in Kauf. Ernsthaft infrage für deutsche Auswanderer kommen auf dem südamerikanischen Kontinent ohnehin nur Paraguay und Chile. Bei Chile besteht allerdings immer eine latente Erdbebengefahr. Aktuelle Reise- und Sicherheitshinweise zu beiden Ländern finden Sie auf der Website des Auswärtigen Amts.

Wer aus Deutschland nach Paraguay einwandert und die Welt

dann weiterhin durch die sozialdemokratische oder grün verschmierte Nickelbrille betrachten will, kriegt hier sehr schnell die Krise. Es gibt hier weder ein Mietrecht noch ein Arbeitsrecht, weder Mülltrennung noch Umweltplaketten, weder Fahrradhelme noch vorgeschriebene Kindersitze in Taxis. Aber dafür sind hier die Zigarettenpackungen frei von Ekelbildern, und die Schachtel kostet umgerechnet gerade mal 1,50 Euro. Linksgrüne Dekadenzen und Vorschriftenmacherei, wie wir sie praktisch in ganz Westeuropa antreffen, sind hier vollkommen unbekannt. Sie sollten einem Paraguayer auch nichts davon erzählen. Er würde Sie nämlich nicht verstehen und schlimmstenfalls den Arzt rufen. Aber dafür kostet das Kilo feinstes Rinderfilet auch nur 5 Euro (in Deutschland 40 Euro). Und staatliche Zwangsabgaben, wie z.B. die deutschen GEZ-Gebühren, gibt's hier erst recht nicht. Auch keine Energiesparlampen – in Paraguay verbreitet die deutsche Glühbirne noch ihr warmes Licht, so wie es sich für ein fröhliches, helles und christliches Zuhause gehört.

Wenn Sie sich hier **selbstständig machen** wollen, finden Sie geradezu paradiesische Verhältnisse vor. Wenn Sie fachlich qualifiziert sind und über solide Spanischkenntnisse verfügen, stecken Sie alle anderen mühelos in die Tasche, da die Einheimischen keinerlei Ausbildung im europäischen Sinne kennen und allein schon deshalb unmöglich deutsche Qualität hervorbringen können. Falls Sie Personal einstellen wollen, kein Problem, die Lohnkosten fallen kaum ins Gewicht. Aber fangen Sie bitte langsam an, fallen Sie mit Ihrem unternehmerischen Elan nicht gleich mit der Tür ins Haus. Klüger wäre es, zunächst einmal Land und Leute kennenzulernen, die vorhandenen Möglichkeiten ausgiebig zu studieren und erst dann die Entscheidung zu fällen, welchen Weg Sie denn nun tatsächlich einschlagen wollen. Und denken Sie immer daran: Reich wird man nur, wenn man tut, wozu man Lust hat.

Was hier an **Steuern** abzudrücken ist, ist übrigens nicht der Rede wert. Eine Gewerbe- oder Einkommensteuer wie in Deutschland gibt's z.B. gar nicht. Als Privatmann können Sie praktisch alle Ausgaben absetzen. Was dann noch an Überschuss übrigbleibt, wird mit zehn Prozent besteuert. Demzufolge bestehen die Einnahmen des Staates – vom Hauptdevisenbringer, dem Kraftwerk Itaipú, einem brasilianisch-paraguayischen Joint-Venture, einmal abgesehen – auch hauptsächlich aus der Mehrwertsteuer, die aktuell bei zehn Prozent liegt. Paraguay hat also den niedrigsten Mehrwertsteuersatz von ganz Lateinamerika. Eine Kirchensteuer ist hier ebenfalls unbekannt.

Paraguay ist also ganz klar eine **Steueroase**.

Es gibt auch **keine Kfz-Pflichtversicherung**. Wenn Sie freiwillig eine abschließen wollen, zahlen Sie ungefähr 15 Euro jährlich.

Eine einheitliche **Krankenversicherung** gibt es in Paraguay ebenfalls nicht. Wenn Sie aber einen Hang zu erstklassigen Krankenhausaufenthalten haben, sollten Sie unbedingt eine private Krankenversicherung abschließen. Die Kosten für eine dreiköpfige Familie belaufen sich auf maximal 150 Euro pro Monat.

Soziale Absicherungen, wie z.B. die deutsche Arbeitslosenversicherung, Rentenversicherung und dergleichen, sind in Paraguay Fremdwörter. Sicherheit bietet nur die Familie. Die Paraguayer sind nicht nur sehr kinderfreundlich, sondern auch kinderreich. Eine paraguayische Familie hat im Schnitt drei bis vier Kinder, und in den Armensiedlungen gibt es sogar einige Mütter, die zwischen acht und zwölf Kinder geboren haben. Falls man also nicht gerade im Geld schwimmt, sollte man zusehen, dass man schnell seine Familie auf- und ausbaut – wobei der Begriff »Familie« hier durchaus weiter gefasst ist als der rein biologische Begriff. Reden wir deshalb besser von einer »Interessensgemeinschaft«. Süd- und Südosteuropäer sind diesbezüglich erfahrener als Deutsche.

Wenn Sie möchten, können Sie auch Mitglied in der Colorado Partei werden. Die *Partido Colorado* versteht sich als nationalkonservativ. Sie wurde am 11. September 1887 von General Bernadino Caballero und José Segundo Decoud unter dem Namen *Partido Nacional Republicano* als Opposition gegen die Liberalen gegründet.

Wie in Europa, so sind auch in Paraguay **Kirche und Staat** offiziell voneinander getrennt, aber irgendwie durchdringen sie sich doch. In der Kathedrale von Asunción sah ich vor dem Hauptaltar nicht nur die Flagge des Vatikans, sondern auch die paraguayische Nationalflagge, und in einigen staatlichen Gebäuden hängen Fotos des Papstes oder stehen Marienfiguren.

Selbstverständlich herrscht in Paraguay **Religionsfreiheit**. Auch wenn 93 Prozent der Paraguayer römisch-katholisch sind, können Sie selbstverständlich auch als Nichtkatholik jederzeit nach Paraguay einreisen.

Kirchliche Feiertage stehen hoch im Kurs, und das religiöse Festprogramm geht weit über Weihnachten, Ostern und Pfingsten hinaus. Der Paraguayer ist deutlich religiöser als der Westeuropäer. Große Verehrung genießen die Gottesmutter und die Heiligen, darunter die vierzehn Nothelfer, insbesondere Sankt Blasius. Der Gedenktag von *el patrón señor San Blas*, wie man hier sagt, wird alljährlich am 3. Februar groß gefeiert.

Vielleicht noch ein Tipp: **Kindergeld** gibt's in Paraguay selbstverständlich nicht. Sie können aber weiterhin Kindergeld aus Deutschland beziehen, sofern Sie z.B. noch Einkünfte aus selbstständiger Arbeit in Deutschland haben. Das müssen Sie der Familienkasse allerdings nachweisen, z.B. durch eine entsprechende Bescheinigung Ihres Steuerberaters.

Maria und ich lieben die paraguayische **Musik**, weil sie vor Lebenslust nur so sprüht. Wenn auch Sie einen ungefähren Begriff vom Lebensgefühl der Paraguayer bekommen möchten, dann hören Sie sich das mal an:

Galopeira (Galopera) – Rildo e Riany (Novo DVD):
https://www.youtube.com/watch?v=DBpKlwKr40Y

SELECCION DE POLKAS Py:
https://www.youtube.com/watch?v=nnvQPFK1qEw

Acuarela paraguaya, Luis Alberto del Paraná:
https://www.youtube.com/watch?v=2VCh3oKOa_k

Abschließend noch ein paar »trockene« Daten:

Paraguay erstreckt sich über eine Fläche von 406.752 km^2, ist somit größer als Deutschland (357.376 km^2) und die Schweiz (41.285 km^2) zusammen. Aber während Deutschland über rund 82 Millionen Einwohner verfügt, sind es in Paraguay noch nicht einmal 7 Millionen. Um als Staat funktionsfähig zu bleiben, braucht Paraguay also dringend Zuwanderung.

Das Land wird vom Río Paraguay, der das Land von Norden nach Süden durchfließt, in West- (ca. 60 Prozent der Landesfläche) und Ostparaguay (ca. 40 Prozent der Landesfläche) geteilt. Obwohl der Osten flächenmäßig kleiner ist als der Westen, leben dort 95 Prozent aller Menschen. Sie konzentrieren sich auf die Hauptstadt Asunción (der Großraum Asunción umfasst rund 2,6 Millionen Einwohner) sowie auf die beiden Großstädte Ciudad del Este und Encarnación. Asunción wurde am 15. August 1537 gegründet, also am Fest Mariä Himmelfahrt (span.: *»la Asunción«*. Wortwörtlich heißt *asunción* eigentlich »Aufnahme«. Damit ist die Aufnahme Mariens in den Himmel gemeint).

Und vielleicht noch ein letzter Satz zur Viehzucht: Laut Tiergesundheitsdienst SENACSA gab es per Ende 2015 in Paraguay 14.216.256 Rinder, also zwei pro Einwohner.

Was uns Maria für 2017 ankündigt

Wie's in Deutschland *aktuell* aussieht, brauche ich Ihnen nicht groß zu erzählen. Das wissen Sie. Andernfalls würden Sie sich gar nicht für eine Auswanderung nach Paraguay interessieren.

Aber wie's mit Deutschland *weitergeht*, interessiert Sie möglicherweise schon.

Beginnen wir mit einem kleinen Exkurs: Man soll's mit den Zahlenspielchen ja nicht übertreiben, aber die **Zahl 72** hatte in vielen antiken Hochkulturen und Religionen einen hohen Stellenwert. Man könnte fast von einer »heiligen Zahl« sprechen. Und wie man hört, genießt diese Zahl in bestimmten Kreisen auch heute noch eine gewisse Relevanz.

So liegen z.B. zwischen der Gründung der ersten Freimaurerloge in London im Jahre 1717 und dem Beginn der Französischen Revolution 1789 genau 72 Jahre. Und wenn man in 72-Jahres-Schritten fortschreitet, kommt man auf das Jahr 1861, dem Beginn des Amerikanischen Bürgerkrieges, und dann auf das Jahr 1933, dem Jahr von Hitlers Machtergreifung. Und wenn wir 5 x 72 = 360 rechnen, kommen wir auf das Jahr 2077 – das ist jenes Jahr, von dem wir vermuten dürfen, dass es der Welt den letzten Antichristen bescheren wird.

Des Weiteren liegen zum Beispiel zwischen dem Ende des Ersten Weltkriegs (1918) und der deutschen Wiedervereinigung (1990) inkl. Zerfall der Sowjetunion (1990/91) 72 Jahre. Zwischen der Gründung des Deutschen Kaiserreichs (1871) und der Schlacht von Stalingrad (1943) liegen ebenfalls 72 Jahre.

Hitlers Machtergreifung war 1933, und im Jahre 2005 erfolgte

Merkels Einsetzung als Bundeskanzlerin. Zeitlicher Abstand: 72 Jahre.

Im Jahre 1939 löste Hitler mit seinem Überfall auf Polen den Zweiten Weltkrieg aus. 72 Jahre später, im Jahre 2011, könnte mit dem »Arabischen Frühling«, dem internationalen Militäreinsatz in Libyen und dem Beginn des Bürgerkrieges in Syrien jene Ereigniskette begonnen haben, die spätere Historiker einmal als den eigentlichen Beginn des Dritten Weltkrieges bezeichnen werden. Denn es ist in der Tat so, dass die dadurch ausgelösten Migrationsströme ganz Europa zu Fall bringen könnten.

Nach Stalingrad (1943) wusste jeder, dass der Krieg verloren war. 72 Jahre später, als Merkel die Grenzen offenlassen musste, wusste jeder klardenkende Mensch, dass Deutschland verloren ist.

1945 war Hitlers Ende, 2017 endet Merkels Regierungszeit.

1948 kam die Währungsreform, und im Jahre 2020, wenn der Euro vielleicht schon Geschichte ist, kommt vielleicht die nächste Währungsreform.

1949 erfolgte die Gründung der Bundesrepublik Deutschland, und vielleicht steht uns im Jahre 2021 ein Ereignis ähnlicher Größenordnung ins Haus.

Die Relevanz der Zahl 72 gilt natürlich für alle Skalierungen, also nicht nur für Jahre, sondern auch für Sekunden, Minuten, Stunden, Tage, Wochen und Monate. Außer der 72 haben auch die Hauptquantenzahlen 3, 7 und 9 eine hohe Relevanz, aber das soll und kann nicht Thema dieses Buches sein. Um dieses Wissen halbwegs nachvollziehbar darzustellen, bedürfte es schon eines eigenen Buches. Für diejenigen, die noch nie davon gehört haben, sei gesagt, dass die Dimension »Zeit« »gequantelt« ist.

Von diesen Zahlenspielereien einmal abgesehen, gibt es zu Deutschlands Schicksal aber auch ganz konkrete Schauungen einer Reihe interessanter Seher.

Für diejenigen, die die vier vorangegangenen Ruben-Stein-Bücher noch nicht gelesen haben, sei gesagt, dass Maria eine Seherin ist, deren Prophezeiungen bislang alle eingetroffen sind. Deshalb kann nicht ausgeschlossen werden, dass auch ihre übrigen Prophezeiungen kurz vor ihrer Erfüllung stehen.

So sagte sie z.B. im Sommer 2015, als alle Welt vom kurz bevorstehenden **GREXIT** überzeugt war, dass es einen GREXIT frühestens im Jahre 2017 geben würde.

Und als uns Londons Buchmacher im Juni 2016 felsenfest verkündeten, dass es keinen **BREXIT** geben würde, hatte mir Maria bereits vier Wochen früher gesagt, dass es definitiv einen BREXIT geben würde.

Als ich Maria im Sommer des Jahres 2015 gefragt hatte, ob **Hillary Clinton**, die Kandidatin der Demokratischen Partei, die nächste US-Präsidentin würde, hatte sie mir nur gesagt: **»No chance.«** Der nächste Präsident würde **»definitiv ein Republikaner«** sein. Wörtlich: **»Ein richtiger Haudegen. Der wird richtig aufräumen.«** Und am 10. Februar 2016, dem Aschermittwoch, hatte sie mir dann auch ganz konkret gesagt, wer der nächste US-Präsident würde: **»Trump ... Der macht sofort Krieg.«** Und auf meine Frage: »Wo denn?«, erhielt ich zur Antwort: **»Da, wo's was zu holen gibt«** (Im Detail können Sie das alles in unseren Büchern *»Deutschlands Weg ins Licht«* und *»Die große Züchtigung naht!«* nachlesen. Die Bücher erschienen am 8. Dezember 2015 bzw. am 3. Mai 2016, also lange vor Trumps Wahl).

Dass Trump **»sofort Krieg«** macht, ist meines Erachtens nicht unlogisch. Die amerikanische Wirtschaft tat sich bislang nicht etwa durch die Qualität ihrer Konsumgüter hervor, sondern hauptsächlich durch schrottige Finanzinstrumente und mehr oder weniger hochwertige Rüstungsgüter. Womit (außer durch Krieg) soll Trump also *»America great again«* machen?

Die anderen Möglichkeiten, die Trump hat, sind Strafzölle auf Importgüter, deutliche Steuerentlastungen für die heimischen Industrien, massive Deruglierungen, staatliche Konjunkturprogramme oder schlichtweg die Produktion von Konsumgütern auf Weltklasseniveau. Gut würde sich auch eine deutliche Anhebung des amerikanischen Bildungsniveaus machen. Trump sagte mal in einem Interview, dass er stolz darauf ist, dass in seinen Adern auch deutsches Blut fließt. Wenn er wirklich so stolz auf sein deutsches Blut ist, würde ich ihm die Einführung eines Bildungssystems empfehlen, wie es Deutschland bis in die Sechzigerjahre hatte, bevor dann die Achtundsechziger die Axt anlegten.

Im Moment sind zwar alle von dem neuen erfrischenden Politikstil Trumps, der sich nicht um Konventionen schert, begeistert (Auch Maria sagte: **»Ich liebe Trump. So viel Witz und Charme. Und immer seine Tochter an seiner Seite«**), aber bekanntlich soll man den Tag nicht vor dem Abend loben. Hoffen wir mal, dass es Trump wirklich gelingt, dem amerikanischen Volk seine Freiheit zurückzugeben – sofern er es überhaupt ernst meint bzw. sofern man ihn überhaupt lässt.

Am 24. August 2016 saßen wir bei Kaffee und Kuchen und strahlendem Sonnenschein im Garten unseres Freundes Michael, weil er uns zu seinem Geburtstag eingeladen hatte. Seine Frau und seine Mutter waren ebenfalls anwesend. Plötzlich erwähnte unser Freund, dass Maria eine Seherin sei, die schon vieles richtig vorhergesagt hätte. Michaels Mutter wurde neugierig und fragte natürlich umgehend nach konkreten Prophezeiungen. Maria sagte daraufhin, dass Donald Trump der nächste Präsident der USA würde. »Was? Der Doofmann? Nie im Leben«, meinte die Mutter.

Michael sagte dann, dass Maria auch einen gewaltigen **Terroranschlag in der Türkei mit dreitausend Toten** gesehen hätte. »Und wann soll *das* sein?«, fragte die Mutter. **»So im April/Mai 2017«**, sagte Maria. **»Vielleicht auch etwas später.«**

Das kam jetzt auch für mich überraschend, weil ich von Maria auf meine Frage nach dem voraussichtlichen Zeitpunkt dieses Terroranschlags, der letztlich der Auslöser für den **Bürgerkrieg in der Türkei** werden würde, immer nur gehört hatte: »Das weiß ich nicht, da ist eine dunkle Blockade.«

Der IS-Terror wird aber auch nach **Deutschland** kommen. Ich erinnere diesbezüglich an das, was Maria mir am Abend des 22. Februar 2016 auf meine Frage nach möglichen IS-Aktionen auf bundesdeutschem Gebiet sagte: **»Das dauert noch ein, zwei Jahre. Die sind ja noch nicht vollzählig hier. Aber dann sind sie überall.«** (siehe Ruben Stein, *»Die große Züchtigung naht!«*, Seite 14f.)

Gegen Ende des Jahres 2015 geisterte eine Nachricht durchs Internet, wonach sowohl Papst Franziskus als auch Queen Elizabeth II. in ihren jeweiligen Weihnachtsansprachen sinngemäß gesagt hätten, **genießen Sie Ihr letztes Weihnachten**. Nun, ich weiß natürlich nicht, ob die beiden das wirklich so gesagt haben, aber wenn sie es gesagt haben, dann lagen sie offensichtlich falsch, denn nichts war normaler als das Weihnachtsfest des Jahres 2016 – vom Terroranschlag auf einen Berliner Weihnachtsmarkt am 19. Dezember 2016 einmal abgesehen. Aber für das Weihnachtsfest 2017 kann uns das niemand mehr garantieren. Es ist durchaus möglich, dass die eigentliche Terrorwelle im Winter 2017/2018 beginnt.

Am 27. Oktober 2016 fragte ich Maria, wann denn das erste deutsche **Kreditinstitut crashen** würde. Maria sagte: **»Im Juni 2017.«** Dass es bei diesem einen Kreditinstitut dann aber nicht bleiben wird, wussten wir auch schon früher. Was wir bislang aber nicht wussten, war, wann das erste Institut tatsächlich in die Knie geht. Jetzt wissen wir es.

Daraufhin wollte ich natürlich wissen, was zuerst käme, der Crash oder der Terror. Marias Antwort: **»Zuerst der Crash, dann der Terror.«** Auf meine Frage, wann es denn mit dem Terror genau losgehen werde, sagte sie aber nur: **»Sobald es warm wird.«** Ich gehe deshalb von **Juli/August 2017** aus. Ich fragte dann, ob wir mit einer ganzen Terror*welle* rechnen müssten. Aber da äußerte sie sich nur sehr schmallippig: **»*Einen* großen Anschlag gibt es auf jeden Fall.«**

Im Internet kursierte ab dem 20. September 2016 das angebliche Schreiben einer angeblich krebskranken Ingenieurin, die angeblich über Jahre hinweg in ultrageheime unterirdische Bau- und Bunkerprojekte der Bundesregierung eingebunden war. Die Kernaussage dieses Schreibens war, dass viele Großprojekte wie der Berliner Flughafen BER oder Stuttgart 21 nur deshalb nicht fertig würden, weil das Geld in Wirklichkeit für diese strenggeheimen unterirdischen Bauprojekte abgezweigt würde. Tief in der Erde, unterhalb der deutschen Großstädte, gäbe es gigantische Tunnelsysteme, komplette Städte, in denen die IS-Kämpfer, die Merkel seit dem Sommer 2015 ins Land holen musste, untergebracht seien. Am Tage X solle diese angebliche Terrorarmee ihr unterirdisches Reich verlassen und in deutschen Straßen Terror verbreiten.

Nun, inwiefern an dieser Geschichte etwas dran sein könnte, müssen Sie selbst beurteilen. Ich habe da zumindest große Zweifel. Ich gebe allerdings zu bedenken, dass Maria am 10. August 2016, also *einige Wochen vor* der Veröffentlichung dieser obskuren Geschichte, einen sehr realistischen Wachtraum hatte, den sie mir wie folgt schilderte: Es würde einen **»Überraschungsangriff auf Deutschland von unter der Erde«** geben. Es wären **»unglaublich viele.«** Sie wären **»alle mit schweren Waffen ausgestattet«**, sähen aus **»wie Tiere«** und kämen **»aus unterirdischen Höhlen«** (Kanalisation?). Ich fragte sie: »Sind das Russen?« Antwort: »Nein.« Und dann sagte sie noch, dass die Menschen oberhalb der Erde (also wir alle) **»nichts davon ahnen«** würden. Im August 2016 hatte sie mir auf Nachfrage diese Schauung noch als »Traum« bagatellisiert. Aber im November sagte sie mir: **»Das war ein Wachtraum. Wachträume treten bei mir immer genau so ein, wie ich sie sehe.«**

Jetzt hoffen wir mal für all jene, die in Deutschland bleiben und sich aufs Prepping konzentrieren wollen, dass Maria diesmal *nicht* Recht behält und sich dieser Wachtraum *nicht* erfüllt.

Außerdem erinnere ich mich an ein Gespräch mit Maria aus dem Mai 2016. Damals sagte ich sinngemäß zu ihr: »Da können wir ja froh sein, dass die Flüchtlingsströme jetzt nachgelassen haben.« Maria zeigte mir umgehend einen Vogel. **»Wo denkst du hin? Es kommen immer noch Tag für Tag Tausende. Die kommen alle nachts auf dem Frankfurter Flughafen an und werden dann mit Bussen zu ihren Unterkünften gebracht.«** Diese Information erschien mir damals dermaßen obskur, dass ich sie nicht veröffentlichen wollte. Umso erstaunter war ich, als drei Monate später, also im August 2016, genau diese Information durch verschiedene alternative Medien geisterte.

Am 25. November 2016 kamen wir erneut auf das Thema zu sprechen, und diesmal sagte sie mir, dass der IS in Deutschland **»unter der Erde«** leben würde. Und: **»Es leben nur Männer unter der Erde.«**

Am 27. November 2016 fragte ich Maria noch mal, ob die große Terrorwelle bereits im Sommer 2017 anlaufen würde, denn wenn dies der Fall wäre, ginge ja niemand mehr aus dem Haus, um am 24. September einen neuen Bundestag zu wählen. »Nein«, sagte sie. **»Es fängt in Deutschland mit *einem* großen Anschlag an. Im Sommer. Und steigert sich dann, bis die ganze Welt im Krieg ist. Es werden auch deutsche Soldaten im Iran (!) sein.«**

Daraufhin fragte ich sie, wie lange der Terror in Deutschland anhalten würde. Antwort: **»So lange, bis sich entweder Ame-**

rika oder Russland oder alle beide einmischen. Deutschland und Frankreich schaffen es jedenfalls auf keinen Fall alleine, den Dreck wegzuräumen.«

Egal, wer nun der eigentliche strategische Kopf hinter der Terrormiliz IS ist (der Wille der USA, den IS zu bekämpfen, war jedenfalls lange Zeit nicht gegeben. Und Außenminister John Kerry sagte sogar ganz offen, dass die USA dem Wachstum des IS absichtlich untätig zusahen, um Bashar al-Assad zu »Verhandlungen« zu zwingen) – eines ist inzwischen fest ins öffentliche Bewusstsein gerückt: Finanziert wurde und wird der IS maßgeblich von **Saudi-Arabien** und **Katar**. Fragt sich nur, ob diese Finanzierung auf der Eigeninitiative dieser beiden Staaten beruht (ganz im Sinne eines sunnitisch-schiitischen Stellvertreterkrieges zwischen Saudi-Arabien und Iran), oder ob sie dies auf höhere Weisung hin tun müssen. Sollte der IS also tatsächlich im Laufe des Jahres 2017 in Deutschland und in anderen westlichen Staaten (z.B. in den USA) großflächig zuschlagen und die großen Medien anschließend eine direkte Verbindung zwischen dem IS-Terror und Saudi-Arabien und Katar herstellen, dann hätten die USA unter Trump zumindest einen triftigen Grund, beide Staaten innenarchitektonisch massiv umzugestalten.

Wie Trump wirklich zu Saudi-Arabien steht, wissen wir aber nicht. Im Wahlkampf sprach er immer nur vom **Iran** als dem Hauptfinancier des internationalen Terrorismus. Obamas Irandeal wolle er rückgängig machen und den Iran *»zur Verantwortung ziehen«* – was immer das auch heißen mag. Als Maria mir am 10. Februar 2016, also fünf Monate bevor Trump auf dem Parteitag der Republikaner überhaupt erst zum Präsidentschaftskandidaten nominiert wurde, auf meine Frage, wer der nächste US-Präsident sein werde, gesagt hatte: **»Trump«**, hatte sie hinzugefügt: **»Der macht sofort Krieg.«** (Quelle: Ruben Stein, *»Die große Züchtigung naht!«*, Seite 12).

Nun, jeder weiß, dass die Vorbereitungen eines Krieges *mindestens* sechs bis neun Monate beanspruchen. Wenn Trump also **»sofort«**

Krieg macht, heißt das nicht mehr und nicht weniger, als dass dieser Krieg eine schon längst beschlossene Sache ist und Trump nur noch seine Unterschrift unter das entsprechende Dokument setzen darf. Das heißt aber auch, dass der Iran als Ziel vorerst ausscheidet, denn ich kann mir beim besten Willen nicht vorstellen, dass Obama noch zurzeit seiner Präsidentschaft einen Krieg gegen den Iran in Auftrag gegeben hat.

Aber wie gesagt, es gibt ja auch noch andere Ziele, bei denen **»es was zu holen gibt«**. Die Zerschlagung des IS scheint auf Trumps Agenda ganz oben zu stehen. Deshalb ist es durchaus möglich, dass er sich zunächst den **Irak** vorknöpft. **Saudi-Arabien** könnte irgendwann ebenfalls ein ganz heißer Kandidat für die geostrategischen Umgestaltungswünsche der Eliten werden.

In diesem Zusammenhang werden dann auch gleich Erinnerungen an *nine-eleven* wach: Die Zentrale, die jene komplexe Operation seinerzeit durchführte, lag Tausende Kilometer von der arabischen Wüste entfernt, und doch kamen alle Attentäter aus Saudi-Arabien. Sollten bei einem möglichen Angriff auf Saudi-Arabien auch muslimische Heiligtümer beschädigt werden, z.B. aufgrund *»fehlerhafter CIA-Karten«* – wir erinnern uns diesbezüglich an den NATO-Raketenangriff auf die Chinesische Botschaft in Belgrad am 7. Mai 1999 –, dann wäre ein weltweiter Konflikt zwischen Muslimen und Christen so gut wie sicher.

Erinnern wir uns deshalb an Marias Worte aus dem Jahre 2015: **»Der Krieg Moslems gegen Christen hat noch gar nicht richtig angefangen.«** Maria hatte damals auch gesagt, dass dieser Krieg **»global«** ausgetragen würde. Und als wir im Februar 2016 erneut auf das Thema zurückgekommen waren, hatte sie mir gesagt, dass dies ein **»von den Eliten angezettelter Krieg«** sein würde. Man würde ihn der Welt als **»Religionskrieg«** verkaufen, und die Welt würde das auch glauben, aber in Wirklichkeit ginge es wie immer ausschließlich um Geld und Macht (siehe: Ruben Stein, *»Die große Züchtigung naht!«*, Seite 14f.).

An weitergehenden Spekulationen, wonach noch während der Amtszeit von Donald Trump die Umgestaltung des Mittleren Ostens (zu dem auch die **Türkei** und der **Iran** gehören) so weit fortschreitet, dass Israel sich in Ruhe an die Wiedererrichtung des Tempels machen kann, wollen wir uns aber nicht beteiligen – ehrlich gesagt, halten wir sie für Spinnerei.

Ich erinnerte mich an ein Telefonat, das Maria am 17. Januar 2016 mit ihrer Schwägerin geführt hatte und bei dem ich zufällig Ohrenzeuge gewesen war: **»2016 kannst du in Deutschland noch überleben, 2017 nicht mehr.«** Später hatte ich dann noch mal bei ihr nachgehakt, um in Erfahrung zu bringen, wie sie diesen Satz gemeint hatte. Marias Antwort damals: **»Dann kannst du nicht mehr vor die Tür gehen, ohne Gefahr zu laufen ermordet zu werden.«** (Quelle: Ruben Stein, *»Die große Züchtigung naht!«*, Seite 19).

Maria und ich machten übrigens schnell die Erfahrung, dass wir mit unseren Warnungen bei Freunden und Verwandten vollständig auf Granit stießen. Sie hörten zwar aus Höflichkeit zu, aber niemand war auch nur ansatzweise bereit, sich unverzüglich Gedanken über eine Auswanderung zu machen. Über ihre Schwägerin, die von einer Auswanderung absolut nichts hören wollte, sagte Maria nur: **»Sie wird zur Einsicht kommen, aber dann wird es zu spät sein.«**

Im Juni 2016 besuchten Maria und ich ein Stadtfest. Da mein Auto zugeparkt war, kamen wir nicht weg und mussten uns deshalb am Straßenrand den stinklangweiligen Umzug ansehen, der einfach kein Ende nahm. Plötzlich sah ich, dass Maria Tränen in den Augen hatte. Ich fragte sie nach dem Grund. **»Keiner von diesen Menschen wird überleben«**, sagte sie.

Als die deutsche Bundesregierung am 21. August 2016 die Warnung aussprach, die Bevölkerung solle sich für mindestens zehn Tage mit Vorräten eindecken, befiel mich eine leichte Unruhe.

Aber Maria sagte: »Ich verspreche dir, dass nichts passiert, solange wir noch in Deutschland sind.«

Am 30. November 2016 fragte ich Maria, wer denn **neuer französischer Staatspräsident** werden würde. Ich war noch nicht beim Fragezeichen angekommen, als sie bereits antwortete: **»Der mit den dicken Augenbrauen.«** Also wird es **François Fillon**. Zwei Monate später war ich ob dieser Prophezeiung doch etwas verunsichert, zumal Marine Le Pen in den Umfragen deutlich vor François Fillon lag, aber Maria wiegelte ab: **»Der mit den dicken Augenbrauen hat bessere Kontakte als die Frau.«**

Ich hatte Ihnen in unserem vierten Buch *»Heimat. Reinheit. Tradition«* etwas über das elementare **1-4-Prinzip** erzählt, das die ganze Schöpfung regelrecht durchdringt. Ich hatte Ihnen dazu viele Beispiele aufgezählt, wenngleich auch nicht erschöpfend. Die fünf Bücher Mosis (*Pentateuch*), in denen dieses Prinzip überdeutlich offenbart wird, unterliegen selbst diesem Prinzip. Das heißt, dass das erste Buch (*Genesis*) den anderen vier Büchern wie die 1 der 4 gegenübersteht. Auch die Zahlenwerte für »Baum des Lebens« (233) und »Baum der Erkenntnis von Gut und Böse« (932) verhalten sich wie 1 zu 4.

Ich möchte dieses Thema im Hinblick auf das äußerst bedeutsame Jahr 2017 noch einmal aufgreifen:

Im Jahre 2017 jährt sich nämlich nicht nur **Luthers Thesenanschlag** zum 500. Mal, sondern wir feiern im Jahre 2017 auch hundert Jahre **Fatima**. Dieser **hundertjährige** Zeitraum, beginnend mit den spektakulären Erscheinungen der Jungfrau in Fatima (1917) bis heute (2017), verhält sich zum **vierhundertjährigen** Zeitraum, beginnend mit Luthers Thesenanschlag (1517) bis zu den Erscheinungen von Fatima (1917), wie die **1 zur 4**. Insofern dürfen wir Großes erwarten – nicht nur für Deutschland.

Wie Sie wissen, erfolgten die sechs äußerst bedeutsamen Marienerscheinungen des Jahres 1917 **zwischen Mai und Oktober** – und zwar immer an einem **Dreizehnten**. Ich möchte die Spekulationen nicht auf die Spitze treiben, aber vielleicht wollte uns die Jungfrau mit der Wahl des Dreizehnten ein Zeichen geben. Vielleicht geschehen die spektakulären Ereignisse, die Maria S. für das Jahr 2017 (insbesondere für die Zeit von Mai bis Oktober) geschaut hat, ja tatsächlich *an* oder *um* einen Dreizehnten. Vielleicht auch am 17. Juli 2017. Das wäre dann dreimal die Sieben. Aber außer Merkels 63. Geburtstag fällt mir zu diesem Datum nichts ein.

Ich erwähnte ja bereits, was mir Maria am 27. Oktober 2016 für den **Sommer 2017** für Deutschland angekündigt hatte: **»*Einen* großen Terroranschlag gibt es auf jeden Fall.«** Was aber nicht heißt, dass mit diesem einzelnen großen Terroranschlag auch schon die eigentliche Terror*welle* beginnt. Es ist durchaus möglich, dass erst mal für einige Monate relative Ruhe einkehrt und die Hauptangriffswelle des IS in Deutschland erst *nach* der Bundestagswahl erfolgt. Vielleicht erst im Winter 2017/2018 oder noch später.

Es gibt in Deutschland Kreise, die sich sicher sind, dass es in 2017 überhaupt keine Bundestagswahlen mehr geben wird. Nun, das glaube ich nicht. Und von Maria habe ich diesbezüglich auch nichts gehört. Maria sagte nur – und zwar bereits im Jahre 2012 (!) –, dass in 2017 in Deutschland **»ein strenger Herrscher an der Macht«** sein würde, der zwar **»viele kriminelle Ausländer abschieben«**, uns aber auch **»richtig abziehen«** würde. Des Weiteren hatte sie damals gesagt, dass **»Merkels Nachfolger definitiv ein Mann«** sein würde.

Fassen wir das von Maria für das Jahr 2017 Geschaute also kurz zusammen:

- Im April (bzw. bei einer Stichwahl im Mai) wird François Fillon neuer französischer Staatspräsident

- Ungefähr im gleichen Zeitraum gibt es einen Megaanschlag des IS in der Türkei mit dreitausend Toten
- Im Juni crasht ein deutsches Kreditinstitut
- Im Sommer gibt es in Deutschland wenigstens einen großen IS-Anschlag
- Auf Merkel folgt eine rot-rot-grüne Bundesregierung entweder unter der Führung von Bundeskanzler Martin Schulz (seit dem 24. Januar 2017 der offizielle Kanzlerkandidat der SPD) oder – falls Schulz aus irgendeinem Grunde vorzeitig ausfällt – unter Bundeskanzler Olaf Scholz. Der SPD-Kanzler wird dann schon sehr bald richtig aufräumen und viele kriminelle Ausländer ausweisen, aber er wird auch die Steuern in einem Maße erhöhen, dass sie keiner mehr bezahlen kann.

Über das, was dann im Jahre 2018 in Deutschland passieren wird, können wir momentan nur spekulieren. Ich habe da aber einen heißen Tipp für Sie: Rechnen Sie mal mit einer ganz groß angelegten Familienzusammenführung für unsere Migranten.

Das Grobrelief der darauffolgenden Zeit kennen Sie aus unserem ersten Buch. Wir brauchen es an dieser Stelle also nicht zu wiederholen.

Falls Sie die bisher erschienen Ruben-Stein-Bücher mit allen relevanten Prophezeiungen noch nicht gelesen haben, hier noch mal die Reihenfolge (mit dem jeweiligen Veröffentlichungsdatum):

- Der dritte Weltkrieg kommt! (15.07.2015)
- Deutschlands Weg ins Licht (08.12.2015)
- Die große Züchtigung naht! (03.05.2016)
- Heimat. Reinheit. Tradition (21.07.2016)

Schlusswort

Die Gründe, Deutschland zu verlassen, sind zahlreich. Die einen wollen weg, weil sie die Bürokratie und der Sozialstaat, die Kriminalität und die Überfremdung nur noch ankotzen, die anderen, weil sie wissen, dass sie selbst nach fünfundvierzig Jahren Arbeit keine zum Leben ausreichende Rente beziehen werden. Wieder andere sehen das Modell Europa kurz vor dem Kollaps oder fürchten den »gläsernen Menschen«. Die einen zieht es nach Ungarn, andere zieht es nach Kanada, in die USA, nach Israel, Neuseeland oder Australien. Und immer mehr Deutsche zieht es nach Lateinamerika, insbesondere nach Paraguay.

Bei Maria und mir waren die beiden wesentlichen Gründe für die Auswanderung nach Paraguay: Wir wollten beide ein Leben in Freiheit und Sicherheit. Der Irrsinn, der in Deutschland schon seit Jahren abging, war für uns kaum noch zu ertragen. Aktuelle Umfragen in Deutschland belegen ja auch, dass die Bevölkerung unter einem dramatischen Verlust des Sicherheitsgefühls leidet. Es ist deshalb keine große Kunst vorauszusagen, dass die »innere Sicherheit« im laufenden Jahr 2017 definitiv Wahlkampfthema wird. Und zwar bei allen Parteien. Aus Erfahrung wissen wir aber, dass vor allem die etablierten Parteien dem Wähler regelmäßig Sand in die Augen streuen, deshalb liegt der Schluss nahe, dass sie uns auch diesmal einen Aktionismus vorgaukeln werden, der nichts als heiße Luft ist.

Wir wussten zwar aus Erfahrung, dass ein kräftig nach links geworfener Bumerang automatisch von rechts zurückkehrt, aber diesmal würde es *vorerst* anders kommen: Das Wetterleuchten eines weiteren Linksdralls zeichnete sich bereits deutlich am europäischen Horizont ab. Und die USA würden sich früher oder später vollständig aus Europa zurückziehen, das war uns auch klar. Und das wollten wir uns lieber aus zehntausend Kilometer

Entfernung anschauen. Wie oft gingen mir Marias Worte durch den Sinn: **»Die Leute da draußen ahnen nichts von dem, was kommt. Ich aber bin schon vor zwanzig Jahren weit in die Zukunft gereist ...«**

Deutschland wird sich – formulieren wir es mal vorsichtig – *sehr* stark verändern, weiß es aber noch nicht. Die Leute werden von der Politik und dem medialen *Fakestream* schon seit dermaßen vielen Jahren verarscht, dass sie einfach nicht mehr in der Lage sind, die Wahrheit zu erkennen – selbst wenn sie wollten. Diese über Jahrzehnte einwirkende sozialistische Gehirnwäsche führte dazu, dass mittlerweile mindestens siebzig Prozent der Deutschen objektiv links sind. Wer also ausschließlich Merkel die Schuld am Untergang Deutschlands gibt, liegt definitiv falsch, denn das linke Parteien- und Medienkartell hat mindestens siebzig Prozent der Bevölkerung objektiv hinter sich. Ein normaler Mensch würde doch jetzt erwarten, dass die Merkel-CDU unter die 5-Prozent-Marke rutscht. Aber nein, es sieht so aus, als ob die CDU bundesweit immer noch locker auf über fünfundzwanzig Prozent kommt. Dafür sind blinde Obrigkeitshörigkeit und eine sozialistische Grundüberzeugung zu stark im deutschen Wesen verankert.

Warum sind die Deutschen so? Keine Ahnung. Napoleon Bonaparte sagte mal über die Deutschen: *»Es gibt kein gutmütigeres, aber auch kein leichtgläubigeres Volk als das deutsche. Keine Lüge kann grob genug ersonnen werden, die Deutschen glauben sie. Um eine Parole, die man ihnen gab, verfolgten sie ihre Landsleute mit größerer Erbitterung als ihre wirklichen Feinde.«*

Weshalb noch immer rund siebzig Prozent dem Linkskartell ihre Stimme geben, kann natürlich auch daran liegen, dass ein Großteil der Wahlberechtigten gar nicht mehr wählen geht oder dass die Intelligenz das Land schon längst verlassen hat oder dass die Umfragen schlichtweg manipuliert sind. Deshalb wird meiner Meinung nach die Reaktion weiter Teile der Bevölkerung auf die falschen politischen und gesellschaftlichen Weichenstellungen *vorerst* auch nicht in einem deutlichen Rechtsruck bestehen, sondern zunächst in noch mehr Sozialismus (Rot-Rot-Grün bei der nächsten Bundestagswahl).

Die Deutschen sind dermaßen auf links gebürstet, dass sie körperlich leiden, wenn man ihnen die Wahrheit erzählt. Aber Maria sagte uns ja, dass sich angesichts dessen, was in den nächsten Jahren auf Deutschland zurollt, noch viele ungläubig die Augen reiben werden. Und dann gilt das berühmte »LdS« – Lernen durch Schmerzen.

Allein schon die multimediale Massenverarschung durch das Wort »Rechtspopulist«, die im Laufe des Jahres 2016 in immer surrealere Höhen getrieben wurde, war für Maria und mich Grund genug, unserem Vaterland schleunigst den Rücken zu kehren. Sobald jemand klar bei Verstand war – wie z.B. Victor Orbán, Miloš Zeman, Vladimir Putin, Benjamin Netanjahu oder Donald Trump oder ein ganz normaler, anständiger, fleißiger und besorgter Bundesbürger –, war er automatisch »rechts«. Und »rechts« war aus der Sicht des Mainstreams ja etwas ganz, ganz Schlimmes. »Rechts« leitet sich aber von »richtig« ab, d.h. »rechts« repräsentiert immer eine Politik, die dem eigenen Volk zugutekommt. Trump hat nach seiner Wahl in einer seiner Dankesreden gesagt: *»Es gibt keine Welthymne, keine Weltwährung und keine Weltbürger. Wir verneigen uns vor einer Flagge. Und das ist die amerikanische.«* Der Mann ist also absolut klar in der Birne.

Bereits vor den US-Wahlen im November 2016 war klar, dass sich Trump mit Putin und Netanjahu aufs Beste verstehen würde. Fast könnte man meinen, dass die drei denselben Chef haben. Vielleicht täuscht dieser Eindruck aber auch, und das dicke Ende kommt erst noch. Das einzige, was wir zur Stunde sicher sagen können, ist, dass die Zusammensetzung von Trumps Regierungsmannschaft Bände spricht: Es sind eben keine Jasager, sondern überwiegend äußerst kompetente Fachleute mit eigener Meinung.

Sorge bereitete uns hingegen das Verhalten von Barack Hussein Obama, dem Halbgott der universalen Linken. Statt es nach Trumps Wahl mal etwas ruhiger angehen zu lassen, drehte er noch einmal richtig auf:

- Als der UN-Sicherheitsrat am 23. Dezember 2016 in einer Resolution ein sofortiges Ende des jüdischen Siedlungsbaus in Judäa und Samaria forderte, verzichteten die USA auf ein Veto und enthielten sich – ein in der Geschichte der USA beispielloser Vorgang.
- Und nur wenige Stunden bevor er das Oval Office an Donald Trump übergab, ordnete Obama noch schnell die Überweisung von 221 Mio Dollar an die Palästinensische Autonomiebehörde an. Wir sehen hier, dass Obama genauso tickt wie die ganze EU.
- Am 29. Dezember 2016 ließ Obama fünfunddreißig russische Diplomaten ausweisen, weil Russland sich angeblich in den amerikanischen Wahlkampf eingemischt hätte.

Beweise wurden der Weltöffentlichkeit allerdings nicht vorgelegt. Dem designierten Präsidenten Donald Trump wurde zwar am 6. Januar 2017 anlässlich eines Treffens mit den Chefs der US-Geheimdienste gesagt, dass Vladimir Putin höchstpersönlich eine Kampagne zur Beeinflussung der US-Wahl angeordnet hätte, große Wirkung scheint dieses Briefing beim designierten Präsidenten aber nicht gehabt zu haben. Jedenfalls twitterte Trump kurz darauf: *»Ein gutes Verhältnis mit Russland zu haben, ist eine gute Sache, nicht eine schlechte Sache. Nur törichte Leute oder Dummköpfe denken, dass es schlecht ist.«* Möglicherweise stimmt sogar das, was ein Vertrauter von Julian Assange bereits vor zwei Monaten sagte, er habe die entlarvenden E-Mails über die Demokraten in einem Wald bei Washington, D.C., von einem *»angeekelten«* Clinton-Mitarbeiter erhalten.

Aber egal, welche der beiden Versionen nun der Wahrheit entspricht – eines dürfte klar sein: Die Feindschaft zwischen den

USA und Russland währt schon zu lange, als dass Trump dies mit einem Federstrich ändern könnte. Viele Monate vor Trumps Wahl hatte ich von Maria mal gehört: **»Trump weiß, dass er im Weißen Haus nichts zu sagen haben wird. Der sagt sich, ich bin jetzt siebzig und habe alles erreicht, was sich ein Mann nur wünschen kann. Jetzt möchte ich einfach mal im Oval Office sitzen und es auf den Partys richtig krachen lassen.«** Mehr verbirgt sich angeblich nicht hinter dem Phänomen Donald Trump. Sollte Maria also recht haben mit ihrer Aussage über Trumps wahrer Intention, dann wird auch der neue Präsident schnell zum bewährten Russland-Bashing zurückkehren. Wünschen tue ich mir das aber nicht.

Viele europäische Länder befinden sich im Wandel, die Bevölkerungen spüren, dass mit der allmählichen Rückabwicklung der Globalisierung auch die Mauern zurückkommen, nur in Brüssel und in Berlin will oder darf das politische und mediale Establishment die Realität nicht sehen. Es soll alles beim Alten bleiben. Deshalb kann man schon jetzt sicher voraussagen, dass die Einfriedung des Sozialismus in Deutschland und in Europa vorerst nicht gelingen wird (Wobei man der Ehrlichkeit halber ergänzen muss, dass es in Europa Länder gibt, in denen der Sozialismus noch schlimmer wütet als in Deutschland: Während die Staatsquote in Deutschland bei 46 Prozent liegt, liegt sie in Frankreich bei 56 Prozent).

Eine *echte* Kurskorrektur wird es erst dann geben, wenn jene Steuern kommen, *»die keiner mehr bezahlen kann«* (Alois Irlmaier), wenn der Systemcrash kommt und der Hungerkrieg beginnt. In Deutschlands Endphase kommen gemäß Alois Irlmaier die *»drei Raubritter«*. Auf die Frage, was er damit meinte, hatte Irlmaier einst gesagt: *»Das Finanzamt, die Banken und die Versicherungen.«* Und wenn diese letzte Systemphase abgeschlossen ist, weil bei den kleinen Leuten nichts mehr zu holen ist, erfolgt die Revolution.

Für das, was danach kommt, kann ich Ihnen zwei Szenarien anbieten. Es liegt an Ihnen, welchem Szenario Sie mehr Glauben schenken.

Szenario Nr. 1 folgt der Logik des deutschen Kulturphilosophen **Oswald Spengler**.

Spengler war zutiefst davon überzeugt, dass es **keine gemeinsame Geschichte der Menschheit** gibt, sondern nur die Geschichte jeweils einzelner in sich abgeschlossener Kulturen, die er als biologische Wesenheiten begriff, mit einer Geburt, einer Wachstumsphase, einer Reifephase und einer Degenerationsphase (also ziemlich genau das, was die Marketingleute einen Produktlebenszyklus nennen).

Spengler identifizierte acht verschiedene Hochkulturen: Die ägyptische, die babylonische, die indische, die chinesische, die griechisch-römische (Antike), die arabische, die aztekische und zu guter Letzt die abendländische Kultur.

Spengler behauptete, dass die sieben untergegangenen Hochkulturen ein ähnliches Relief, eine ähnliche Morphologie aufwiesen, und er war sich deshalb sicher, dass sich auch die abendländische Kultur organisch entsprechend den sieben bereits untergegangenen Kulturen entwickeln und schließlich vollenden würde. Er sah die absolute Herrschaft des Geldes und der Hochfinanz voraus, aber auch die Phase, die darauf folgen würde – den »*Sieg des Blutes über das Geld*«.

Wenn wir Spenglers Hauptwerk »*Der Untergang des Abendlandes*« heute lesen, kommen wir nicht um die Feststellung herum, dass vieles von dem, was er bereits vor hundert Jahren hellsichtig vorausgesagt hat, tatsächlich eingetreten ist.

Doch wie geht es dann weiter?

Spengler schreibt: »*Durch das Geld vernichtet die Demokratie sich selbst, nachdem das Geld den Geist vernichtet hat.*« Die Herrschaft des Geldes und seines politischen Werkzeugs, der gekauften Partei, geht zu Ende, und die ersten Cäsaren leuchten am europäischen Horizont auf.

Im Moment liegt diese Vision natürlich noch weit außerhalb des Fassungsvermögens der Massen. Der Glaube an Demokratie und allgemeines Wahlrecht sind noch dermaßen stark im Bewusstsein verankert, dass sich die Masse den Übergang zum Cäsarismus, also den Übergang von der Republik zum Prinzipat, momentan nicht einmal vorstellen kann. Dieser Übergang wird gemäß Spengler auch nicht friedlich vonstattengehen, sondern in ganz Europa durch fürchterliche Bürgerkriege gekennzeichnet sein. Die Globalisierung hat die Gesellschaftsstrukturen massiv unterhöhlt und wird sich schließlich gegen ihre eigenen Grundlagen der freiheitlichen Verfassung wenden. Das Ergebnis wird der vollständige Verfall der Demokratie sein und eine formlose Zivilisationsmasse, die den Machtabsichten irgendwelcher Dompteure und Demagogen vollkommen zu Diensten sein wird.

Was Spengler meines Erachtens nicht gesehen hat, ist die Tatsache, dass vor zweitausend Jahren am Kreuz von Golgatha eine neue Schöpfungsordnung geboren wurde, die die Abfolge einzelner isolierter Kulturen allmählich ersetzt durch eine einzige »biologische Wesenheit« und eine gemeinsame Geschichte der Menschheit. Um dies zu verstehen, darf man aber nicht in Jahrzehnten denken, sondern in Jahrhunderten und Jahrtausenden. Die gesamte Menschheit ist auf Christus hingeordnet, und sie wird auch schließlich bei Christus ankommen.

Und das ist dann **Szenario Nr. 2**, welches sich aus den Schauungen der großen europäischen katholischen Seher ergibt. Nach einer Periode kolossaler Umwälzungen politischer und gesellschaftlicher Art, nach Hungerkatastrophen, blutigen Bürgerkriegen und gigantischen Naturkatastrophen betritt schließlich jener

Große Monarch die Weltbühne, der die ganze Welt neu und im christlichen Glauben ordnen wird.

Kommen Sie also gut durch! *Les deseo alegría y paz!* Meinen Segen haben Sie. Und den von Maria auch!

Darstellung des Herrn (Mariä Lichtmess), 2. Februar 2017

Lightning Source UK Ltd.
Milton Keynes UK
UKHW011156071220
374767UK00005B/674